OPUS 77

ALEXIS RAGOUGNEAU

OPUS 77

VIVIANE HAMY

Nocturne

Il fut surpris de voir combien la chambre de son père était obscure, même par ce matin de soleil.

Franz Kafka, *Le Verdict*

Nous commencerons par un silence.

Mais les minutes de silence, vous savez bien, ne durent jamais soixante secondes pleines, y compris dans le recueillement d'une basilique genevoise, un jour de funérailles. L'impatience a vite fait de surgir, quoique l'assemblée se compose pour l'essentiel de musiciens de l'OSR, par définition respectueux du tempo imposé par leur chef. Cette fois, Claessens n'est pas au pupitre. Il est couché dans son cercueil, devant l'autel, couvé des yeux par un curé pénétré de sa mission. Célébrer l'artiste. Glisser deux ou trois mots sur une possible inspiration divine ; on ne sait jamais, ça ne mange pas de pain, un peu de prosélytisme ne nuira pas au défunt. Quant à sa fille, assise au piano quelques mètres plus loin, elle ne dira probablement rien tellement elle a l'air ailleurs.

Il y a, surplombant mon clavier, nichée dans la pierre, une Vierge à l'Enfant. Son visage tourné vers le vitrail accroche la lumière du jour. Le Christ, poupon joufflu, cheveux bouclés, me fixe de ses yeux d'albâtre, l'air supérieur. Pas moyen de savoir ce qu'il pense ; sous la Mère et son Fils, dans ma robe de soie noire un peu trop décolletée pour l'occasion, ma tignasse rousse au-dessus des touches ivoire, je dois sûrement faire mauvais genre, une véritable Marie Madeleine. Je suis venue jouer un air à l'enterrement de mon père. Je n'ai rien trouvé d'autre que d'enfiler la première robe de concert dénichée dans un placard. Là-bas, au deuxième rang, quelqu'un renifle et pleure, à la fin c'est agaçant. Je me sens si étrange, voire étrangère, comme si je donnais un récital à l'autre bout du monde, à Sydney, à Tokyo, encore sonnée par le décalage horaire.

Plus tôt dans la matinée, tandis que l'église était vide de tout spectateur, un accordeur est passé régler le Bösendorfer – c'est en tout cas ce que le prêtre m'a assuré. J'aurais voulu lui dire un mot, causer réglages et mécanique – j'aime tant parler aux facteurs d'instrument, aux techniciens, aux accordeurs. Pas pu ; on m'attendait au funérarium à la même heure.

Il était si fripé, Claessens. Si vieux dans son cercueil. Une momie déjà. Comme si tous les efforts consentis pour préserver sa jeunesse, les crèmes, les implants capillaires, le bistouri, avaient été réduits à rien par la mort et la maladie. Juste avant qu'ils ne referment la bière, j'y ai glissé sa baguette, pensant qu'il serait rassuré de l'avoir, pour pouvoir battre la mesure là où il part, six pieds sous terre, et nulle part ailleurs.

Dans la nef, les musiciens d'orchestre se sont spontanément assis en ordre de concert. *La meute*, c'est ainsi que Claessens les appelait, *prête à vous écharper au moindre signe de faiblesse, n'oublie jamais ça, ma fille.* Je n'oublie pas, *papa*. De soir en soir, lorsqu'il faut jouer un concerto de Rachmaninov, Beethoven ou Mozart, je n'oublie jamais. Cordes aux premiers rangs. Violons à gauche, altos au centre ;

10

à droite les grosses cylindrées, violoncelles, contrebasses. Plus loin la « banda », clarinettes et bassons, flûtes et hautbois, cors, trompettes, trombones, tubas. Enfin, là-bas tout au fond, ceux qu'on ne remarque pas, ou si peu, les percussions, parmi lesquels j'aime tant piocher, après le concert et les autographes, après les mondanités, à New York, Milan ou Berlin, lorsque vient l'heure de rentrer à l'hôtel. Parmi les loups hurlants je prends toujours le plus soumis, le plus insignifiant, et je l'invite à prendre un dernier verre, afin de rendre fous les mâles alpha, de jalousie et de colère.

Ici, en cette basilique, j'en vois plusieurs, parmi les musiciens de l'Orchestre de la Suisse romande sur qui régnait mon père, à s'être vêtus de leur frac des grands soirs. La minute de silence n'est pas encore achevée mais déjà ils veulent presser le tempo, passer à la cérémonie religieuse proprement dite. Je les vois depuis mon clavier, je les vois s'agiter sur leur chaise, croiser puis décroiser les jambes ; je les entends toussoter, faire craquer leurs jointures, se moucher avec plus ou moins de discrétion (il faut dire que nous sommes en hiver ; froide, froide et humide Genève). Sans instrument entre les mains ils ne savent pas quoi faire. Le silence leur est insupportable.

Il leur faudra pourtant m'entendre d'abord.

On m'a fait comprendre hier soir (qui, je ne sais plus, un type en costume sombre à fines rayures – l'administrateur de l'OSR, peut-être ?) qu'il serait de bon ton que j'interprète un morceau à l'église en mémoire de mon père. J'ai été prise de court. Moi, Ariane Claessens, je ne savais pas quoi jouer.

Dans les tout derniers jours, au centre de soins

11

palliatifs, j'étais devenue la spectatrice de sa mort à venir. Oubliés les concerts. J'essayais de le nourrir à la petite cuillère, de le faire boire, mais il s'y refusait toujours. Je regardais les aides-soignantes changer ses couches, lui arranger son lit, une en particulier, rousse aussi, mais fausse, qui répétait sans cesse *Laissez-moi faire, mademoiselle Claessens, ce n'est pas à vous de mettre les mains dans le cambouis* (c'étaient ses mots), et moi *Mais si, madame, mais si, je peux bien vous aider un peu.* Seulement je ne bougeais pas de l'encoignure.

Il vous faudra m'entendre d'abord, chers spectateurs vêtus de noir.

En arrivant ici, je pensais jouer *Funérailles* de Liszt. Un programme de circonstance. Et puis j'aime jouer les passages *forte* en travaillant le clavier jusqu'à l'épuisement. De quoi se décharger sur l'instrument, étant donné le jour et l'ambiance. Mais il y a eu ces condoléances d'avant-cérémonie sur les marches de l'église, devant une poignée de journalistes agrippés à leur parapluie (dehors, il pleut à seaux ; froide, froide et pluvieuse Genève). J'étais toute destinée, comprenez-vous, à recevoir les hommages vibrants de la profession. Moi, dernière survivante, ou presque, dernière des Mohicans, ou plutôt des Claessens. Ariane, un quart de siècle bien tassé. Sous mon teint de pêche et mes cheveux de feu, je dois avoir au moins cent ans.

C'est un percussionniste qui m'a serré la main en premier. Un de ces types du fond près des radiateurs. *Oh, Ariane, les choses sont allées tellement vite.* (Vraiment ? Si vite ? Plutôt un lent et long déraillement, non ?) *Avant l'été encore, nous discutions de la saison à venir avec ton père. Oui, vraiment, si vite...*

12

Tout percussionniste qu'il est, celui-là ne m'a évidemment jamais touchée. L'OSR, c'est la famille. On n'emmène pas son parrain boire un verre passé deux heures du matin, il y aurait là quelque chose d'incestueux, je vous expliquerai cette histoire de parrainage un peu plus tard. Ils ont tous défilé devant moi, sur les marches de Notre-Dame de Genève, à quelques encablures de la gare ; tous, ils m'ont serré la main, pour ainsi dire dans l'ordre protocolaire, ou, mieux encore, dans l'ordre de placement d'un orchestre symphonique. Jusqu'à ce violon rétrogradé par mon père bien des années plus tôt – de premier à second – qui s'est avancé toutes dents dehors sans que je puisse savoir si c'était pour sourire ou m'écharper les chairs. *Un immense musicien. Une perte immense pour la musique. Je le pense comme je te le dis, ma petite Ariane.* Puis il fait mine de rejoindre l'intérieur de la basilique où l'orgue demeure muet puisque c'est moi qui, tout à l'heure, dois marteler le Bösendorfer en guise de marche funèbre ; mais au dernier moment il semble se raviser ; nous sommes alors les deux derniers dehors, il pleut toujours, il pleut encore – froide, froide et sinistre Genève –, et le second violon me susurre à l'oreille, *pianissimo : Ton frère ne vient pas ? Après tout, ça ne m'étonne pas...* Alors moi, *Ça ne t'étonne pas de quoi ?...* Et lui, *Qu'il ne daigne pas même dire au revoir à son père. Il n'arrive pas à gérer, n'est-ce pas ? De toute façon, David n'a jamais su gérer la moindre pression. C'était déjà comme ça avant, mais depuis Bruxelles, bien sûr, c'est encore pire.*

Je suis restée impassible, comme je sais si bien faire, tandis qu'en moi se déversaient tristesse et colère. Alors j'ai su que je ne jouerais pas *Funérailles* de Liszt, mais une pièce bien plus longue, en quatre mouvements, sans compter la cadence réservée au soliste. Une œuvre écrite pour violon et orchestre, dont je connaissais la transcription au piano par cœur pour l'avoir répétée mille fois avec mon frère.

L'*Opus 77*.

La minute de silence est passée, ou à peu près, et c'est à moi de jouer. Ils me déshabillent du regard, me clouent au cercueil de bois noir estampillé Bösendorfer. *Qu'est-ce qu'elle va bien pouvoir nous interpréter ? Il y a trois mois encore elle enflammait Salzbourg. Six minutes d'applaudissements montre en main et quatre rappels. Puis elle a dû rentrer ici en Suisse au chevet de Claessens.* Vous voyez, soit dit en passant, que l'on m'attend sans cesse au tournant ; même lorsque j'ouvre le couvercle d'un clavier à l'enterrement de mon père, il faut que les critiques présents dans la salle sortent leur stylo et leur calepin. J'entends d'ici siffler leurs langues de vipères. *Qu'est-ce qu'elle peut bien valoir en ce jour si particulier ? Va-t-elle enfin s'ouvrir, se lâcher, va-t-elle enfin se mettre à nu devant nous autres qui sommes au parfum ? Ou bien se réfugiera-t-elle derrière son habituelle, son hallucinante virtuosité qui nous la rend sans cesse inaccessible ?* Pour ces gens-là de toute façon je ne suis qu'un phénomène de foire.

Longue inspiration de départ. C'est comme une plongée en apnée vers les profondeurs. Paupières closes et tignasse en arrière pour leur laisser une chance à tous, l'espace d'un instant, de voir mon beau visage moucheté de taches de rousseur. Mes doigts caressent les touches – *la fa mi la*, *la*-bémol

14

sol fa do, si mi do la, sol la fa-dièse *ré*. Il leur faut moins de cinq secondes pour reconnaître l'opus russe. *Quoi ! Chostakovitch ? C'est donc cela qu'elle compte nous jouer ? Un concerto pour violon sans violoniste ? Ne sera-t-elle aujourd'hui, elle la soliste de classe internationale, qu'une simple accompagnatrice ? Est-ce donc cela qu'elle veut nous faire entendre ? Un vide ? Une absence ? Une transparence ?*

Oui, mesdames. Oui, messieurs. C'est exactement cela. À moi toute seule je serai un orchestre au service de mon éthéré de frère. Il aura fallu attendre que David fasse silence pour que je prenne enfin la parole. Vous êtes priés de vous tenir avec un minimum de dignité devant la dépouille de mon père. Votre patience, croyez-le bien, sera récompensée. Écoutez bien, maintenant, écoutez notre histoire ; celle de ma mère, celle de mon frère et celle d'Ariane Claessens, qui joue pour vous de mémoire ; cette fois, je vous le garantis, vous m'aurez nue comme au premier jour.

*
* *

L'un de mes plus lointains souvenirs est un souvenir qui ne m'appartient pas. Je dois avoir quatre ans et David six. Depuis deux ou trois mois, en tout cas depuis notre arrivée à Genève, mon frère pianote tous les matins sur le Steinway du salon, entre son bol de céréales et le départ pour l'école, sous l'œil caressant de Claessens. Ma mère, elle, s'enferme déjà dans sa chambre dès que quelqu'un ouvre le couvercle de l'instrument. Même un gosse de six ans la terrifie. Même son propre fils, jouant, au sens

15

premier, comme un enfant ferait joujou sur un gros jouet laqué à deux cent mille francs suisses.

Dans ma mémoire, il est près de quatre heures. Je le sais parce qu'il est temps d'aller chercher David à l'école. D'habitude c'est la nanny qui s'y colle, mais cet après-midi-là, allez savoir pourquoi, Yaël jaillit de sa chambre comme un ouragan, lèvres et paupières peinturlurées, affublée d'une robe rouge pétant, à croire qu'elle se prépare à remonter sur scène dans je ne sais quelle production kitsch de *Carmen*. C'est qu'aujourd'hui, vous comprenez, elle a trouvé le courage de sortir. Moi, comme toujours, je suis fourrée sous le piano ; je fais rouler une petite voiture sur les motifs géométriques du tapis d'Iran (je n'ai jamais été très Barbie). Yaël fond sur mon refuge, ses talons hauts, aussi vernis que l'instrument, martelant le plancher. *Tu viens, chérie ?... Où ça, maman ?... Mais où veux-tu ? Chercher ton frère. Ensuite nous irons faire une visite surprise à papa.* Elle a toujours son accent rocailleux. Elle ne le perd ou ne parvient à le camoufler que lorsqu'elle chante, parce qu'alors elle a la possibilité de rouler les *r*. Mais ma soprano de mère chante de moins en moins souvent.

Nous passons en coup de vent à l'école. La tête de David en voyant débarquer maman fagotée comme un arbre de Noël, moi crochée à sa main comme un paquet qu'on traîne de magasin en magasin. La tête de David, je vous dis.

Nous nous arrêtons prendre le goûter au Remor et je l'entends alors – mon frère en est témoin –, j'entends Yaël nous chantonner *Casta Diva* tandis que le serveur apporte les viennoiseries et les chocolats chauds. Le ventre plein et la moustache au

16

cacao au-dessus des lèvres, il ne nous reste plus qu'à traverser le boulevard. Les autos pilent, les insultes fusent sous les coups de klaxon – *Qui c'est cette dingue avec ses gosses ?* Là-bas, l'impressionnante porte d'entrée surmontée de leurs noms à tous, les pères fondateurs. Côté gauche, Haendel, Bach, Mendelssohn, Mozart, Schumann ; à droite, Wagner, Liszt, Beethoven, Chopin, Berlioz. C'est mon frère qui m'a appris à les déchiffrer.

Une fois à l'intérieur, le foyer, où l'on entend des relents de musique, puis très vite les toilettes (comme souvent ici, David a mal au ventre ; *la faute au cacao trop chaud*, avance ma mère). Ensuite l'escalier de pierre. Enfin la salle enrubannée de dorures et de velours cramoisi. Victoria Hall : une bonbonnière rococo emballée dans une boîte à chaussures aux allures de bunker.

Et là-haut, sur la scène, suspendu entre ciel et terre, l'Orchestre de la Suisse romande et son tout nouveau chef, mon père. Je n'ai pas le moindre souvenir de ce qu'ils sont en train de répéter. Un concerto pour piano, à coup sûr, puisque Claessens est au clavier. Nous sommes à l'époque où mon père dirige depuis l'instrument, pour quelques mois encore. Je crois savoir – ou sentir – qu'il y a concert ce soir. Quelque chose à voir avec le degré de concentration, un je-ne-sais-quoi d'inquiet et d'inquiétant dans l'air. C'est son profil qu'il nous offre d'abord, harnaché à l'énorme paquebot noir ; mais très vite il se tourne sur sa droite, alerté – qui sait ? – par le regard surpris ou amusé d'un musicien – ou bien est-ce une alarme qui sonne en lui dès que ma mère pénètre quelque part ? Claessens pivote sur son tabouret, plonge les yeux dans la salle tandis que ses mains continuent de jouer comme le poulet poursuit sa course folle une fois décapité par la fermière. Sa tête quand il nous voit débouler dans l'allée. Yaël la Rouge perchée sur ses talons, un mouflet à chaque main, qui chantonne toujours *Norma*. La tête de Claessens, je vous dis. Je ne l'oublierai pas, *papa*.

Le piano mécanique s'interrompt et l'orchestre, aussitôt, se désagrège. Les notes retombent sur scène comme une averse de noires et de blanches. Les instruments regagnent le gras d'une cuisse ou la moiteur d'une aisselle.

Alors voici ce qui se passe précisément. Je vous le décris comme si cela se passait au ralenti parce que c'est bien ma perception de la chose. Voyez-vous, chers spectateurs, la scène, à mes yeux d'enfant, a bien duré mille heures. Peut-être même dure-t-elle encore.

David lâche la main de Yaël et se met à courir dans l'allée. On n'entend plus que le tam-tam sourd de ses pas sur la moquette puisque l'orchestre a fait silence. Mon frère emprunte l'escalier de droite, escalade la scène, et le visage de Claessens passe instantanément de l'ombre à la lumière, comme si le régisseur venait de braquer sur ses dents blanches le plus puissant des projecteurs. Devant tout l'OSR David galope sur le plateau ; Claessens sourit comme dans une publicité pour dentifrice ; il pose un genou à terre, ouvre grand les bras pour accueillir sur sa poitrine le petit corps, la chair de sa chair, sa reproduction en miniature. Mais David ignore allègrement le pianiste et son piano, fonce côté gauche au milieu des seconds violons, s'empare de l'un d'entre eux – je veux parler de l'instrument et non du musicien –, le cale comme il peut au creux d'un cou bien trop

18

menu pour accueillir l'immense morceau de bois, enfin se met à cisailler les quatre cordes à furieux coups d'archet.

Sur la scène du Victoria Hall où sont passés Kogan, Menuhin, Milstein ou Ferras, s'élève une bouillie de notes, un solo de grincements effarants produits par un môme de six ans à la bouille hilare. Voilà, c'est fait, David Claessens vient de choisir son instrument. Il sera violoniste.

Son père s'est relevé, époussette son pantalon comme pour en retirer une saleté invisible. Sur son visage le projecteur s'est éteint. Le sourire publicitaire a disparu.

Dans la salle, du côté de l'allée centrale, ma mère, complètement ailleurs, chantonne toujours *Casta Diva*.

*
* *

C'est arrivé un soir, il y a trois mois environ, en plein concert. Mon père a eu un trou de mémoire.

Mais il n'y a rien de tragique à cela, me direz-vous. Un trou de mémoire, c'est humain. Faut-il vraiment y voir le début de la fin ? Combien de milliards de notes un chef peut-il faire jouer à son orchestre tout au long d'une carrière ? S'il oublie deux, trois ou même dix mesures, quelle importance ? Il n'a qu'à consulter sa partition, non ?

Non.

Laissez-moi corriger, alors.

Ce soir-là, Claessens a eu un trou de mémoire.

Or voici ce que Claessens faisait lorsqu'il entrait en scène, son *modus operandi*. Concerto, opéra, symphonie, le rituel était immuable depuis plus de vingt

19

ans, depuis qu'il avait cessé de jouer pour se consacrer entièrement à la direction. Le chef gagnait son podium d'un pas pressé, comme s'il avait souhaité mettre la salle derrière lui le plus vite possible. Il n'agissait pas ainsi par mépris ou snobisme – chacun le comprenait et ne lui en tenait pas rigueur –, mais bien pour ménager le mystère, son mystère. Le chef est un homme qui se tient dos au public. C'est une silhouette possédée par son art. Les spectateurs n'ont droit à son visage inondé de lumière et de sueur qu'à la toute fin, lorsque la dernière note a résonné, que les applaudissements commencent à crépiter, comme une pluie d'orage sur le trottoir, pour s'achever en triomphe, en grondement de tonnerre, en encore épandus des balcons au parterre.

Claessens tournait le dos à la masse et affrontait l'orchestre. Sous ses yeux, le pupitre où reposait la partition, ouverte à la dernière page. C'est ainsi qu'il demandait au régisseur de la lui disposer. Il patientait, mains jointes sur le pubis, jusqu'à ce que les applaudissements cessent, en profitait pour fixer chaque musicien droit dans les yeux. Puis, une fois le silence installé, il refermait sa partition en prenant soin de bien la faire claquer. Et, dans un geste éminemment ostentatoire, il la poussait sur le bord du pupitre afin que chacun voie, dans l'orchestre comme dans la salle, qu'il dirigerait de mémoire.

À moi qui lui demandais un jour (je n'avais pas dix ans alors) pourquoi il imposait au technicien de lui ouvrir l'inutile partition non pas à la première page, mais bien à la dernière, il avait répondu *Pour qu'elle claque mieux à l'oreille du public. Le poids des pages, tu comprends, rouquine. Le poids des notes.*

C'est à ce moment-là que le concert commence.
Claessens avait une prodigieuse mémoire. Il se voulait le reliquaire des grands chefs-d'œuvre de la musique classique.

Quand il a perdu le fil ce soir-là, l'orchestre a poursuivi sans lui. Il a continué d'agiter les bras comme si de rien n'était mais l'OSR lui avait bel et bien échappé, train fou, hors de contrôle, décidant de lui-même du tempo à donner, faisant de son chef un pantin décharné, un automate en frac noir. Dans la salle personne n'a rien remarqué. Au sein de l'orchestre on s'est bien gardé de lui faire le moindre reproche, d'autant que le lendemain soir s'est déroulé sans incident. Mais, notamment parmi les violons, on n'en a pas moins pensé.

La semaine suivante, Claessens a encore trébuché, dans un passage ne présentant aucune difficulté particulière, et, pour la première fois de sa carrière, il a feuilleté sa partition en plein concert.

En fin de soirée, dans sa loge, il a perdu l'équilibre en sortant de la douche. L'administrateur, dans son immuable costume de croque-mort, l'a trouvé sur le carrelage, nu, tremblant, luisant comme un nouveau-né.

On l'a emmené aux urgences, derrière Plainpalais, il y a passé la nuit en observation. Le lendemain matin, on lui a fait passer une batterie d'examens, dont un scanner du cerveau.

Lorsqu'il m'a appelé depuis sa chambre d'hôpital pour me faire le récit de ses dernières vingt-quatre heures, la nuit était déjà tombée. J'étais à Paris, je sortais d'une répétition salle Cortot en vue d'un enregistrement pour la radio. J'avais voulu rentrer chez moi à pied parce que l'air était doux.

21

Au téléphone, il a dit d'une voix blanche qu'il devait reporter son concert du lendemain soir. *Sine die.*

*
* *

Il m'arrive de donner des *master class*. En général, c'est à l'invitation d'une prestigieuse fondation américaine, partenaire d'un prestigieux conservatoire, tous deux souhaitant s'offrir, le temps d'une heure, l'aura d'un prestigieux soliste. L'intérêt de chacun bien compris, et quelques enjeux financiers en plus. L'exercice est substantiellement rémunéré. Les élèves brillants, nerveux, respectueux jusqu'à l'excès ; pourtant nous avons, eux et moi, presque le même âge. J'ai franchi ce gouffre que la plupart ne passeront jamais, celui de la célébrité. Ils deviendront d'excellents musiciens, pour certains des solistes de niveau international, mais peu se hisseront au niveau où je suis.

Lorsque, sous le regard des caméras et d'un public trié sur le volet, nous travaillons la sonate en si bémol de Schubert (un grand pianiste russe la définissait d'un simple mot : *horreur*), je sens toujours cette interrogation muette dans leurs yeux, et peut-être plus encore dans leurs mains. Ils ont cette part d'arrogance propre à la jeunesse. Ils sont parfois venus de loin, de l'autre bout du monde, de Russie, d'Argentine ou de Chine, pour étudier l'art du clavier entourés des meilleurs professeurs. La concurrence est féroce. La somme de travail phénoménale, le don de soi total, obligatoire, *sine qua non*. Et derrière chaque phrasé que nous analysons et reprenons ensemble se cache l'invariable question : *Comment as-tu fait, toi, si forte, si calme, pour arriver en haut ?*

22

Une fois sur cent, je tombe sur un élève qui sort du lot. Technique exceptionnelle, intelligence et maturité de jeu malgré son jeune âge. Déjà véritable interprète, un musicien qui s'approprie sans broncher la matière brute laissée par le compositeur, qui la fait sienne avec respect mais sans complexe, afin de produire un son reconnaissable entre tous. Et par-dessus tout, ce charisme naissant qu'il lui faudra cultiver comme son bien le plus précieux. À celui-là, si rare, si unique, je suis tentée de tout avouer. Devant ses camarades brillants et médiocres à la fois, devant ce public acquis d'avance, ces caméras qui fixent mes boucles rousses et ma leçon pour la postérité, j'ai cette tentation irrépressible de venir m'asseoir à ses côtés et de le serrer fort, fort, pour qu'il puisse sentir mon cœur sous l'armure de fer, mon cœur prêt à se rompre tant il bat vite.

Il m'arrive même de faire le geste, ou pour le moins de l'esquisser : je rejoins le jeune élève sur le tabouret, tout près, tout près, au point que nos épaules, nos hanches, nos cuisses se touchent. Je fais semblant de consulter la partition, j'attends qu'il achève sa phrase, si solidement exécutée que c'en est à pleurer, pour me tourner vers lui et l'enlacer. Mais quelque chose m'arrête. Dans son épaule, dans sa hanche ou sa cuisse, je sens le même tremblement, la même terreur, et je comprends qu'il sait déjà ; lui et moi sommes de vieux complices.

Le vrai virtuose mondial, c'est celui qui a peur à s'en pisser dessus et qui s'avance seul devant trois mille spectateurs pour jouer Ravel, Chopin, Rachmaninov, sans ciller.

*
* *

Je suis tout de suite passée chez moi jeter quelques affaires dans un sac ; j'ai pris les clés de la Porsche dans le tiroir de l'entrée, puis, dans la foulée, le trousseau de l'appartement des Tranchées. Je n'ai pas même vérifié s'il restait un train ou un avion en partance pour la Suisse. J'avais besoin de conduire, franchir par moi-même ces cinq cent cinquante kilomètres qui me séparaient de mon père, passer un à un les panneaux autoroutiers révélés par mes phares.

Je pilote une 911 Targa vert métallisé de 1977.

La Porsche est une espèce de tradition chez nombre de solistes internationaux. Chez certains chefs aussi. J'ignore si c'est bien Karajan, comme on le dit, qui a lancé la mode. La sienne était célèbre parce qu'il confiait à qui voulait l'entendre qu'il aimait la conduire juste avant ses concerts. Sur scène, il s'efforçait ensuite d'égaler la perfection technique de sa voiture de sport. C'était du moins l'histoire qu'il servait aux journalistes.

Pour ma part, ce serait plutôt le contraire. J'aime conduire ma Targa en pleine nuit *après* m'être donnée en spectacle. J'aime retrouver les sièges baquets en cuir beige, la tête encore grisée par les applaudissements et le cœur inondé par l'insatisfaction, le désir de mieux faire, de frôler la limite d'un peu plus près, ce parapet en dessous duquel il n'y a que le vide abyssal.

Mais pourquoi, me direz-vous, avoir acheté une antiquité plutôt qu'un bolide flambant neuf ? Ce n'est pas une question de moyens, tout de même, si ?

Non.

La 911 contemporaine est un bijou de modernité, une flèche d'acier bourrée d'électronique et d'équipements de sécurité. Son système de gestion stabilise le châssis dans toutes les situations périlleuses. Le couple moteur autorise des changements de trajectoire insensés. Aujourd'hui toutes les 911 bénéficient du système de protection anti-encastrement latéral ultra-rigide. Le freinage, grâce aux étriers monoblocs à quatre pistons, est tout simplement phénoménal. Et sur les modèles à propulsion, un servo-frein à vide de dix pouces réduit les forces en cas d'urgence. Tout est pensé pour assurer une protection optimale aux passagers.

Précisément.

Sous le capot de ma Porsche de 1977 il y a une petite bombe de trois litres et six cylindres à plat délivrant cent quatre-vingt-quinze chevaux. Mais aucun système de sécurité. Pas de correcteur de trajectoire. Sous la pluie cette automobile est une vraie savonnette. Ni airbag, ni capteur anti-retournement. Rien de rien. Quant à la ceinture de sécurité, j'oublie toujours de la boucler. Même les gendarmes ne m'y font pas penser.

En pleine nuit, après le concert, surtout quand la route est sinueuse et mouillée, j'adore conduire à tombeau ouvert.

J'ai pris le périphérique à la porte d'Asnières. Il était presque vingt-trois heures. Calée sur la file de gauche, à grands coups d'appels de phare, j'ai fait le tour de Paris en moins de temps qu'il n'en faut pour le dire. En planifiant une pause pipi vers Dijon, j'en avais pour moins de quatre heures. Ce trajet-là, je le connaissais par cœur. Toujours le même tempo, une fois tous les quinze jours, depuis tant d'années, été comme hiver, quel que soit le programme de mes concerts, Paris-Genève un lundi sur deux.

J'ai essayé de joindre mon frère.

En Suisse, y compris romande, c'est un message en allemand qui vous informe que la ligne est en dérangement. *Bitte rufen Sie später an, der gewünschte Teilnehmer kann momentan nicht erreicht werden.*

La quatre-voies était quasi déserte. Le volant vibrait sous mes doigts. J'ai mis la *Suite anglaise n° 2* enregistrée par Argerich en 1979 à fond dans l'habitacle et j'ai poussé la machine dans ses derniers retranchements. Les réverbères autoroutiers se sont mis à défiler au-dessus du pare-brise en verre, de plus en plus vite à mesure que je m'éloignais de Paris. Puis, tout à coup, ils ont disparu du terre-plein central et je me suis retrouvée seule dans le noir, fendant la nuit du faisceau de mes phares. J'ai placé la voiture sur la ligne blanche discontinue et j'ai pressé encore un peu l'accélérateur.

Je me trouvais dans une pièce aux murs de chaux. Ç'aurait pu être une chambre d'hôpital d'un autre temps, une espèce de blockhaus datant de la guerre, ou la cellule d'un monastère. Au fond, dans l'angle, un placard métallique fermé par un cadenas. Au mur, un portemanteau garni de trois patères. Sur l'une d'elles, un duffle-coat de couleur brune, pendu par la capuche. L'une des attaches brandebourgs est manquante au revers. Pas d'autre habit ailleurs (peut-être sont-ils dans le placard). Une table calée sous un minuscule vasistas, ou plus exactement une lucarne hermétique faite de briques de verre, qui déverse une lumière grise de fin de jour sur une liasse de feuilles couvertes d'une écriture serrée. Des crayons à papier, un petit couteau suisse abandonnés à sa surface. Une lampe d'architecte au pied articulé ainsi qu'une chaise à l'assise de paille, peut-être bien une chaise de messe, parachèvent la nature morte dans ce coin-là de la pièce.

Il y a aussi, à l'autre bout, côté porte, un lit très simple. Pas de sommier mais une planche en bois sous le matelas une place, elle-même posée sur quatre parpaings. Le lit est recouvert d'un duvet beige au toucher rêche. Un cageot, servant de table de nuit, porte la mention *Fragile*. Là encore, une lampe au pied articulé. L'ameublement, spartiate, sent la récup' à plein nez, le vide-grenier de grand-mère, le magasin du centre social, peut-être même certains objets ont-ils été chinés dans les poubelles.

J'oubliais le principal.

Juste au-dessus du lit, sur le mur de chaux blanche, pendu par la volute à un clou et une ficelle, un violon, disposé là en lieu et place du crucifix habituel.

Bitte rufen Sie später an, der gewünschte Teil-nehmer kann momentan nicht erreicht werden. C'est à ce moment précis que la lumière bleue d'un gyro-phare a repeint les murs du bunker de mon frère. J'ai coupé mon téléphone, bouclé ma ceinture et baissé les yeux sur le compteur qui indiquait cent soixante-quinze kilomètres-heure. Puis un motard en uniforme est apparu à hauteur de ma vitre et m'a fait signe de prendre la prochaine sortie direction Avallon.

*
* *

Je me souviens aussi, juste après ta demi-finale à Bruxelles. Ton récital avait été tout simplement éblouissant. Il nous fallait attendre la proclamation, dans la soirée, par le président du jury, des douze élus. Ceux-là, sélectionnés par leurs aînés et pairs, accéderaient à la mythique Chapelle musicale pour, sept jours durant, dans la plus stricte solitude, y préparer la finale. Puis ils joueraient un concerto sur la scène du Palais des Beaux-Arts qui déciderait de leur carrière, c'est-à-dire de leur vie.

Pour l'heure, les observateurs avertis t'imaginaient volontiers parmi les finalistes ; certains commençaient à parler de toi comme d'un sérieux candidat pour un accessit. Bien sûr, il y avait ce Coréen qui, dès les éliminatoires, s'était positionné, avait pour ainsi dire pris rendez-vous pour le premier prix, celui qui ouvrait les portes d'un parcours de soliste international, tapis rouge et contrat avec grosse maison de disques à l'appui. Les autres ne se contenteraient-ils que des miettes ? Allait-on assister en finale à un retournement ? Ceux qui jugeaient que l'épreuve de violon, cette année-là, était pliée d'avance en seraient-ils pour leurs frais ?

Ce David Claessens, par exemple, dont on ne savait trop s'il était français, belge ou suisse – *le fils du chef d'orchestre, absolument* –, ce jeune Claessens avait un je-ne-sais-quoi de particulier dans son jeu qui pouvait créer la surprise. Une sorte d'originalité, une sensibilité à fleur de peau alliée à une fameuse technique. Mais, une fois en finale, il lui faudrait conquérir le jury tout en sachant tenir ses nerfs, et le Coréen, dont personne n'arrivait à prononcer le nom mais dont le sang-froid nourrissait les conversations, semblait inoxydable en la matière.

Dans les allées du Studio 4 à Flagey où se déroulaient les demi-finales, les pronostics allaient bon train. Le Reine Élisabeth est peut-être le seul concours musical au monde, du fait de son prestige mais aussi de l'engouement populaire qu'il suscite, où l'on parie sur les jeunes musiciens comme sur des canassons de course.

Et toi, au milieu de cette effervescence, tandis que les autres s'agitaient en tous sens, que faisais-tu ?

Je te revois dans ce foyer réservé aux musiciens et aux personnes accréditées, ton étui à violon sagement posé entre tes pieds. Tu trempes un sachet de thé dans une tasse à fleurs. Sur ton cou, la tache rouge, cette marque au fer que portent les violonistes de haut niveau, où le violon appuie contre la peau, témoignage d'innombrables heures de répétition avant l'aboutissement du concert. Tu tournes la tête et me fixes de ton regard noir. Je sais, pour te connaître par cœur, que c'est une invitation à m'asseoir.

Tu n'aimes pas parler juste après avoir joué. (C'est, entre multiples choses, ce qui nous rapproche, le grand frère et la petite sœur, cette attitude quasi mutique, pendant bien une demi-heure, dont personne n'arrive à nous tirer.) Notre silence fait de nous des complices, depuis l'enfance, depuis la nuit des temps. La ville entière peut être mise à sac, à feu et à sang, les deux Claessens auront toujours ce réflexe partagé, ce temps de latence avant de commencer, ce temps de résonance après avoir fini de jouer, qui met le monde à distance, qui fait de notre fratrie une cité à part entière, aux frontières étroitement contrôlées, aux accès difficiles. Entre ces deux silences, à l'intérieur, nous bâtissons une forteresse de notes, infranchissable, imprenable, pourtant si belle à écouter de l'extérieur.

Le sachet de thé entre et sort de son bain bouillant, colore l'eau d'une teinte auburn qui ressemble à celle de ton instrument, celui que t'a offert Krikorian

29

et que tu as choisi de jouer ici à Bruxelles. Le Vuillaume de Claessens, qui lui a coûté un bras comme chacun sait, tu l'as laissé dans un placard en Suisse. Tu te décides à boire une gorgée. Je te regarde reprendre des couleurs. J'aimerais bien, moi aussi, te boire ou te manger.

La plupart des violonistes transpirent abondamment pendant le concert. Le stress, l'effort, la chaleur des projecteurs. Souvent, ils s'épongent le front entre deux mouvements. Les cinéastes, les réalisateurs de documentaire, parfois les écrivains, adorent faire voir les gouttes de sueur du soliste giclant au ralenti dans la lumière. Toi, du plus loin que je me souvienne, dès tes premières apparitions d'enfant devant un public, je t'ai toujours vu sec comme l'amadou, et aussi pâle qu'un mort. Caméramans et scribouillards ont été priés dès le départ d'aller voir ailleurs. Une fois, je suis allée jusqu'à te demander pourquoi, pourquoi cette pâleur, pensant qu'il y avait nécessairement une réponse sensée à ma question – j'étais gamine quand je te l'ai posée ; tu as réfléchi un long moment puis tu as dit, le plus sérieusement du monde, *C'est parce que mon sang passe dans le violon.*

Un vieux type habillé de tweed, qui empestait le cigare, s'est approché de nous et a demandé s'il pouvait s'asseoir. *Beaucoup ici, parmi les connaisseurs, s'interrogent sur le violon que vous jouez. Un son exceptionnel, à la mesure de votre talent. Un instrument italien, n'est-ce pas ?* Mon frère a continué de tremper son sachet dans sa tasse sans esquisser le moindre geste en direction de son étui. L'autre a tiré une carte de visite et l'a fait doucement glisser sur la table jusqu'à ce qu'elle touche la soucoupe. À l'époque – j'avais seize ans et toi dix-huit –, je n'avais pas encore été lancée dans le grand bain ; en dehors de Genève, je n'avais qu'assez peu de relations dans le milieu musical, pourtant je connaissais déjà ce nom : Miroslav Bogatt. Personne, absolument personne ne pouvait l'ignorer, même pas toi. *Cette façon que vous avez de jouer, David. Je n'ai jamais entendu cela ailleurs. Ce style très particulier. Si vous avez un petit moment, je serais heureux d'en discuter.*

Après ma victoire à New York, deux ans plus tard, Bogatt est devenu mon agent. C'est lui qui m'a fait connaître, qui a fait de moi une star internationale. Voici maintenant neuf ans qu'il prend soin de mes intérêts (et des siens par la même occasion). Ensemble nous avons donné près de mille concerts, fait beaucoup d'argent, voyagé aux quatre coins du monde, passé des jours entiers côte à côte dans un avion, pris quelques cuites mémorables aussi. J'étais là quand on l'a prévenu qu'un baryton parmi ses poulains, ivre mort, s'était fait arrêter pour exhibitionnisme dans un supermarché de Bayreuth ; j'étais là quand son téléphone a sonné pour lui annoncer que l'orchestre de Philadelphie tout entier s'était mis en grève une heure avant l'ouverture de la saison ; et j'étais là aussi la première fois qu'il a appris que sa fille avait été hospitalisée d'urgence pour overdose. Pourtant jamais, je dis bien *jamais*, je ne l'ai vu aussi surpris – non, pas surpris, plutôt ahuri, ébahi, ébaubi – que ce jour-là à Bruxelles, après ta demi-finale, quand tu lui as dit, sur un ton des plus neutres et polis, que tu étais en train de boire ton thé, que pour l'instant tu n'avais pas envie de parler, et que tu préférais qu'il repasse dans une heure.

*
* *

31

Je suis arrivée tard dans la nuit, avec sept points en moins sur mon permis, une amende de trois cent soixante-quinze euros à payer dans les quarante-cinq jours et le numéro de portable du motard au cas où il me prendrait l'envie de boire un verre sur le trajet retour.

Il ne servait à rien de me rendre à l'hôpital à cette heure-là, alors je me suis garée au bas de l'appartement des Tranchées. La rue François-Le-Fort se trouve à deux pas du Conservatoire. Quand nous étions enfants, David et moi nous y rendions à pied, lui mains dans les poches et son petit violon sur le dos, moi mes liasses de partitions plein les bras.

Je vais vous dire, pianistes et violonistes ne sont pas égaux face aux problèmes de mémorisation. Mon instrument à moi est une usine à trous, un véritable gruyère. Il suffit de voir l'épaisseur des livrets, la quantité de notes à retenir. Quatre-vingt-huit touches et huit octaves d'un côté, quatre cordes et quatre octaves de l'autre. Il ne faut pas s'étonner que je me fasse chroniqueuse du passé familial. C'est une habitude chez moi, tout s'ancre, tout pèse, tout macère, les dièses, les bémols et les souvenirs. Je retiens avec facilité. Mon frère, lui, en choisissant l'exil intérieur, a décidé de voyager léger. Dans le temps, il ramassait mes partitions quand elles tombaient par terre ; désormais il vit retiré dans un bunker, sur les hauteurs valaisannes au-dessus de Sion. Il s'y est enfermé voilà onze ans, faisant table rase du passé. Ou bien, tout au contraire, dans l'incapacité totale de le digérer.

Question mémoire, je tiens plutôt de mon père. Il me suffit de lire le morceau puis de le déchiffrer une fois au clavier pour le connaître par cœur. Ensuite, plus besoin d'y revenir, il s'agit plutôt de se forcer à tout oublier pour tout réinventer à sa manière. L'interprète doit jouer l'histoire d'un autre comme s'il racontait sa propre vie, pour la toute première fois, ou pour la toute dernière avant de mourir, alors qu'en réalité tout est déjà consigné, tout s'est déjà passé. Un autre, le grand, l'immense compositeur, a tracé le destin de la pièce, nuances comprises, de *fortissimo* à *pianissimo*, du hurlement total au silence absolu. Que voulez-vous y faire sinon tout ressasser ?

L'appartement de la rue François-Le-Fort sentait le tabac froid. Tout y semblait figé comme dans un musée. Le lustre à huit branches garnies de feuilles de chêne dorées, les bibelots précieux dans les niches lambrissées. Je suis allée droit au salon pour y voir le Steinway. Dans la pénombre, j'ai ouvert le clavier, vu les touches blanches briller, joué un arpège ascendant ; l'instrument n'avait pas été accordé depuis des années.

J'ai allumé la lumière. Le piano tout entier s'était changé en mémorial à la gloire de mon père. Sur son capot fermé trônaient je ne sais combien de cadres le mettant en scène, lui, le chef, en pleine représentation, baguette en main, en pleine représentation, en train de serrer des mains, en pleine représentation, au milieu de ses musiciens, en pleine représentation, dans les studios de la TSR1, en pleine représentation, avec un ancien président américain, en pleine représentation, lors d'une conférence sur la musique et le conflit israélo-palestinien, en pleine représentation, tenant ses deux gosses chacun par une main.

Nulle autre photo de David à part celle-ci, en culotte courte, sans son instrument.

J'avais en revanche, moi, un emplacement dédié sur le Steinway, trois cadres d'argent, l'un où je suis au clavier, à dix ans, dans l'appartement des Tranchées, l'autre où je suis au clavier, à seize, le soir de mon premier récital professionnel, un dernier où je suis au clavier, à dix-neuf, pour mon premier enregistrement.

Aucune trace de Yaël, ni sur le piano, ni ailleurs. J'ai bien regardé, je vous assure, j'ai même un peu fouillé. J'ai trouvé des cadavres de bouteilles dans un placard, un DVD porno dans la discothèque, entre Mendelssohn et Mozart. Je suis allée dans les deux chambres d'enfant. Rien n'y avait bougé, c'était comme si nous n'étions jamais partis, comme si nous n'avions jamais grandi. Je me retrouvais en jupe plissée et socquettes blanches ; sur mes étagères, à la place des livres de classe et des romans classiques, des partitions de Chopin à ne plus savoir qu'en faire. Je suis passée dans la chambre de la nanny, devenue, après son départ, la chambre de ma mère ; c'est à ce moment-là, après avoir licencié Josefa, que mes parents ont commencé à faire lit à part, sans que je sache qui en avait décidé ainsi. Mais là non plus, nulle relique de Yaël.

Je n'ai pas poussé jusque dans sa chambre à lui, je n'en avais pas le courage ou l'envie, alors je suis retournée dans le salon. L'épuisement avait fini par me rattraper. Pendant des heures, j'avais roulé à bloc à bord de ma Targa pour tenter de le fuir, lui et bien d'autres choses. En vain. Ils finissaient toujours par me ramener à Genève.

J'ai pris deux coussins sur le canapé et je les ai lancés sous le Steinway, puis je m'y suis glissée, regagnant la grotte de mon enfance, me pelotonnant *sous les jupes du piano*, comme je disais alors. Et je me suis souvenue, loin, loin derrière, de mon père, si jeune, si beau, qui jouait juste au-dessus de moi, qui jouait Schumann, Schubert, qui jouait des journées entières. Et parfois, il y a très longtemps, lorsqu'elle se sentait bien – j'étais vraiment toute petite alors –, Yaël venait le rejoindre et se calait au creux de l'instrument. Je ne voyais que ses jambes, si minces, si fines. Je n'arrivais pas à comprendre comment une voix si belle pouvait sortir d'un corps si gracile.

Mon père jouait et ma mère chantait, et c'était le bonheur.

*
* *

À ma dernière soirée d'anniversaire (organisée, comme toujours, par mon agent), Miroslav m'a suggéré de publier mon autobiographie. *J'ai vingt-sept ans, tu ne penses pas que c'est un peu tôt ?... Au contraire, à voir comment tourne le monde, tu es déjà en retard ; de toute manière, pour quelqu'un de ta stature, il faut réécrire son histoire tous les dix ou quinze ans, remettre à jour ce que tu racontes aux gens, tu comprends ?... Pas bien, Miroslav, pas bien... Mais si, c'est à toi de bâtir ta propre légende, en ouvrant à tes admirateurs les portes de ton intimité... Mais je croyais que tu m'avais construit une image de sublime rousse glaciale... Justement, ma chérie ! Il est temps de fendre l'armure, ou plutôt, comme tu le dis toi-même, de briser la glace. Le moment est venu de t'humaniser un peu. Tu es intelligente, tu sais que ta beauté ne durera pas toute la vie. Les rides et les cheveux blancs sont tes ennemis... Et mon jeu ?...*

35

Quoi, ton jeu ?... Veux-tu que je l'humanise aussi, que j'injecte quelques fausses notes à chacun de mes concerts ? Bogatt a ri avant de vider son verre. *Tu sais, Ariane, de toute façon ils seraient si peu nombreux à les remarquer. Tant que tu suivras mes conseils, tu crouleras sous l'argent et les applaudissements, avec ou sans fausses notes.*

Un peu plus tard – je m'apprêtais à quitter ma propre fête d'anniversaire accompagnée d'un trombone estonien –, mon agent est revenu à la charge. *Alors, tu me promets d'y réfléchir ?...* J'ai préféré faire l'idiote. *C'est que j'ai peur de ne pas savoir quoi dire, ou plutôt de ne pas savoir trouver les mots. J'ai toujours préféré m'exprimer avec des notes, tu sais.* Il a pris le temps de vider un autre verre. *Si tu as besoin, je te paie un nègre, bien sûr.* Puis il a ajouté, comme soudain frappé par le génie, *Tu n'as jamais pensé à vivre parmi les requins, par hasard ?... Les requins ?... Oui, les requins ou les cachalots. J'y pense parce que ce sont des animaux à sang froid, un peu comme toi. Je pense que tu devrais sérieusement envisager de te passionner pour les requins, prendre leur défense, parce que ce sont des bestioles mal aimées, donc une espèce en voie de disparition. De nos jours, si tu n'es pas aimé, tu disparais de la surface de la Terre en moins de trois générations... Charmant, je vois déjà le titre et ma photo en couverture :* Ariane Claessens : ma vie avec les requins... *Ne plaisante pas avec ça, ma belle, tu devrais te trouver un animal fétiche.* Il a dit ça en dénudant ses dents jusqu'aux gencives. Il avait l'air content de son petit effet. Avec Miroslav, on ne sait jamais si c'est du lard ou du cochon. Alors j'ai préféré lui faire mal, vite et bien, pour que cette histoire d'autobiographie soit enterrée

avant la fin de la nuit. (Sous ses airs de vieux charognard, Bogatt est un nounours et je sais qu'il m'aime
bien ; il faut sans cesse contenir ses assauts de papa-
gâteau.) *Tu sais, Miroslav, je vis déjà au milieu
des requins, tous les jours je joue ma survie dans un
aquarium ; mais il ne faut surtout pas le dire, dans un
livre ou ailleurs, sinon je ne ferai plus rêver personne.
Au fait, comment va ta fille ? Toujours à la clinique ?...* Il m'a regardée sans rien dire, comme élec-
trocuté, puis a plongé les yeux au fond de son verre
vide. *Parfois, Ariane, j'ai l'impression que tu es encore
plus froide que cette image de toi que j'ai bâtie ;
pardonne-moi, je vais aller me resservir à boire.
Joyeux anniversaire.*

Mon Estonien patientait dans l'entrée, bercé par
le clapotis de l'alcool et le va-et-vient des invités.
Je l'ai fixé, silencieuse, immobile, flottant entre deux
eaux. Il portait une espèce de chemise hawaïenne
avec des motifs nénuphar. Elle était assez ajustée
pour voir, sous l'étoffe, ses pectoraux saillir. Avant
la fin de la nuit je l'aurais dévoré, tout cru et tout
entier.

*
* *

Le plus curieux, voyez-vous, c'est que je suis en
train de tout déballer, exactement comme Miroslav
me l'avait suggéré. À cette différence près que je le
fais non plus en interprète mais en compositrice,
à ma manière, rédigeant ma propre partition, selon
mon propre tempo.

Je n'ai pas trouvé mon père dans sa chambre
d'hôpital ; une aide-soignante refaisait un lit vide ;
l'infirmière m'a dit qu'on l'avait descendu à l'IRM ;

37

j'ai demandé à parler au médecin; on m'a envoyé l'interne; j'ai dit que je voulais voir le chef de service.

L'opération au cerveau était programmée pour le surlendemain mais il paraissait déjà acquis que la chirurgie ne suffirait pas à tout nettoyer. Six semaines de traitement seraient à prévoir. Ensuite il faudrait voir venir, au jour le jour.

On a remonté Claessens de l'imagerie sur un fauteuil roulant. Mon père portait une chemise de nuit estampillée HUG – Hôpitaux universitaires de Genève. Il avait les mollets maigres et blancs. Le brancardier l'a aidé à s'allonger sous les draps et mon père a voulu garder ses chaussettes parce qu'il avait eu froid en bas dans la machine. Puis il m'a demandé à quelle heure j'étais arrivée et où j'avais dormi. *Sous le piano*, ai-je dit. Il n'a pas eu l'air plus surpris que ça. *Tu t'occupes de prévenir ton frère ?... Je m'en occupe, oui... Je préfère si c'est toi. De toute façon je ne suis pas sûr d'avoir encore son numéro.* Je n'ai pas précisé que j'avais essayé de le joindre toute la nuit, sans succès, *Bitte rufen Sie später an, der gewünschte Teilnehmer kann momentan nicht erreicht werden. Je t'ai pris du linge à l'appartement, ta robe de chambre et tes affaires de toilette; et ne t'inquiète pas pour David, je trouverai bien le moyen de le mettre au courant.* L'infirmière est passée lui faire une prise de sang en me demandant de sortir un instant.

Quand je suis retournée dans la chambre, il était pâle comme un linge. J'ai pensé que c'était la piqûre, la vue du sang qui coule dans le tube, mais il m'a demandé *Tu crois qu'il faut mettre ta mère au courant ?...* J'ai dit qu'il valait mieux qu'il s'allonge un peu et qu'il essaie de dormir parce qu'il avait l'air fatigué. Puis je suis ressortie sous prétexte de demander une briquette de jus d'orange à l'infirmière. C'est seulement dans le couloir, au prix d'un gros effort, que j'ai refoulé mes larmes.

*
* *

Une caméra a été le témoin de la première rencontre entre mes parents. Le reportage, d'un peu plus d'une minute, est passé au journal télévisé sur Aroutz 1 il y a trente ans. Claessens, de passage à Tel-Aviv pour y donner le concerto pour piano de Tchaïkovski, rencontre la classe d'art lyrique de l'Académie de musique.

Pendant longtemps nous avons eu la cassette à la maison, je la regardais en boucle lorsque j'étais enfant. Je l'enfournais dans le magnétoscope et me collais à l'écran pour essayer de déceler, sur les visages pixélisés de mes futurs géniteurs, l'instant précis, l'étincelle, la naissance de l'amour.

Mon père entre dans une salle de répétition où étudiantes et étudiants sont alignés en rang d'oignons. Le directeur de l'Académie les lui présente brièvement, Claessens serre la main à chacun. Une demi-seconde, on aperçoit Yaël au deuxième rang, yeux baissés, cheveux lumineux et défaits, sans que l'on sache si leurs regards se sont déjà croisés à cet instant, ou si leurs paumes se sont déjà touchées. La voix off souligne que le soliste franco-belge, en parallèle de sa carrière pianistique, s'intéresse de plus en plus à la direction d'orchestre, avouant une passion non dissimulée pour l'opéra et les belles voix.

L'instant d'après, par le miracle du montage, on l'aperçoit au piano accompagnant une toute jeune soprano dans un exercice de vocalises un peu factice, probablement mis en scène pour la caméra. Cette élève au timbre légèrement voilé, dans sa robe à fleurs un peu démodée, c'est ma mère. Elle a des facilités techniques quel que soit son registre, c'est indéniable. Mais c'est surtout lorsqu'elle monte dans les aigus que sa voix se fait inimitable. C'est comme si quelqu'un venait d'ouvrir la fenêtre du studio de répétition pour y faire entrer le soleil de la Méditerranée. Est-ce à cet instant que Claessens succombe ? Sous l'effet d'une seule note, un contre-*mi* sortant du lot, par le pouvoir d'un vibrato n'appartenant qu'à elle ?

À force d'être lue et relue, la bande a fini par s'user. Une espèce de neige blanche est apparue sur l'image et la voix de soprano s'est ternie dans les haut-parleurs. Plus je visionnais le reportage et moins il me renseignait. Yaël et Claessens, dans la beauté de leur jeunesse, se changeaient un peu plus, chaque fois qu'ils paraissaient sur l'écran, en figures spectrales noyées sous les flocons, dissoutes par le passage du temps.

La cassette VHS a fini dans un placard avec les dessins animés de notre enfance. Puis le contenu du placard s'en est allé dans la cave avec le lecteur désormais démodé. Je suppose qu'elle y est encore, à moins que le box en sous-sol ait subi le même lavement de cerveau, la même cure d'amnésie que l'appartement.

Je sais qu'il y a eu des lettres aussi, innombrables, par liasses entières, conservées pendant des années par ma mère dans deux boîtes à chaussures. Je le sais parce qu'elle me les a montrées sans pour autant me les laisser lire. J'étais bien trop petite, disait-elle, je m'y serais brûlée tant les mots étaient incandescents.

Le soir même de leur rencontre à l'Académie de musique, Yaël est allée voir Claessens jouer avec le Philharmonique de Tel-Aviv. J'ignore qui a fait le premier pas. A-t-elle eu l'audace d'aller le trouver dans sa loge après le concert ? Est-ce lui qui a inscrit son adresse en douce, dans la cohue du foyer, au moment de la séance de dédicaces, sur la jaquette du disque qu'il s'apprêtait à lui signer ? Allez savoir comment ça s'est passé entre le pianiste à la carrière déjà riche et la quasi-adolescente rêvant de chanter un jour sur les grandes scènes européennes. J'ai fait le calcul : mon père remportait son premier prix au conservatoire de Paris que ma mère n'était pas encore née.

Bien entendu j'ai ma petite idée sur la question. Malgré son âge et sa silhouette gracile, la jeune Yaël porte en elle cette force, cette fois irrépressible dans la musique classique, visible dès qu'elle ouvre la bouche, audible dès qu'elle tire une note. C'est cette foi-là qui, déjà adolescente, l'a poussée à balayer les réserves d'une famille flirtant avec l'orthodoxie religieuse. La place d'une femme n'est pas sur scène. Ce sont les hommes qui chantent Dieu. La place d'une femme est à l'arrière, cachée par un treillage ou suspendue dans une tribune. Son rôle est d'enfanter, c'est une mission sacrée autant qu'un devoir national. Qu'à cela ne tienne, Yaël prépare seule l'audition d'entrée à l'académie de Tel-Aviv. Une fois reçue, elle s'y installe seule contre l'avis de ses parents, finance seule le coût de ses études. Que lui importe puisque désormais elle peut chanter du matin jusqu'au soir. Que lui importe puisque bientôt elle rencontrera un virtuose franco-belge de presque vingt ans son aîné sous le regard d'une caméra de télévision. Elle l'éblouira de sa voix. Elle en tombera follement amoureuse, fascinée par la course de ses doigts sur les touches blanches, étourdie par la perspective d'un voyage vers la France. Alors qui est allé retrouver l'autre après le concert ?

Ils se sont écrit pendant près de deux ans, de part et d'autre de la Méditerranée, le temps que ma mère achève son cursus musical et fasse son service militaire. Je vous l'ai dit, tout tient dans deux boîtes à chaussures pleines à ras bord. Ils ont vécu, pour commencer, un amour essentiellement épistolaire, bien que mon père se soit débrouillé, dans l'intervalle, pour se faire inviter deux fois par l'orchestre d'Israël.

Puis Claessens a tout organisé pour que la jeune soprano vienne consolider sa technique à Paris, dans la classe de chant lyrique. En arrivant en France, elle a occupé une chambre de bonne juste au-dessus de son appartement à lui. Elle avait vingt et un ans et lui trente-huit. Le petit manège a duré quelques semaines, puis elle a descendu ses valises d'un étage.

Claessens fréquentait à nouveau le Conservatoire pour se parfaire à la direction d'orchestre. Il s'y essayait depuis son piano à la moindre occasion.

C'est à Paris qu'ils se sont mariés. David et moi y sommes nés.

Tout cela, je le sais parce que ma mère ou mon père, c'est selon, me l'a raconté.

De sa vie passée en Israël, ma mère n'a rien gardé ou presque. Quelques bijoux sans valeur. Pas une photo, pas une carte postale. Ou bien elle ne me les a jamais montrées. Ses racines, sa culture, sa religion, elle les a enfouies au plus profond d'elle-même, avant que tout cela ne finisse par ressortir, des années plus tard, sur la scène du Victoria Hall, sous la forme d'un cri monstrueux.

Notre ciment, c'est la musique. Voilà le genre de fadaise que Claessens ressassait en public lorsqu'on l'interrogeait sur sa petite tribu d'artistes. En réalité, tout tient en quelques mots, en quelques plans filmés il y a trente ans par un caméraman de la télévision israélienne. Notre histoire, notre famille. Tout tient en une poignée de souvenirs, à quelques notes, à quelques airs, pour ne pas dire à un fil.

Quant aux deux boîtes à chaussures remplies de lettres d'amour, je ne les ai jamais retrouvées.

*
* *

Les Suisses sont les champions du monde de l'abri antiatomique. Le pays en dénombre assez pour accueillir toute sa population, en cas de conflit nucléaire, et même un peu plus. La course à la barricade a débuté dans les années soixante, face au spectre du communisme, quand une loi fédérale a décrété que chaque citoyen devait disposer d'une place protégée à proximité de son lieu d'habitation. Chaque nouvelle construction prévoirait donc un abri équipé. La Suisse compte aujourd'hui trois cent mille de ces forteresses miniatures, fournies en eau, médicaments et nourriture, auxquelles il faut ajouter les cinq mille bunkers creusés dans la roche, un gruyère géologique élaboré pour abriter tout l'arsenal militaire helvète afin de parer à la moindre attaque surprise.

Dans les années quatre-vingt, lors d'un exercice national grandeur nature, dix mille volontaires se sont laissé enfermer dans un tunnel autoroutier recyclé en abri antinucléaire. Les portes blindées d'un mètre cinquante d'épaisseur ont mis près de vingt-quatre heures à se refermer. Il a fallu moins de deux jours pour qu'éclatent les premières bagarres à l'intérieur.

Depuis, si les nouveaux propriétaires doivent toujours s'équiper, l'armée, elle, brade ses bunkers. On les a habilement camouflés derrière une fausse façade de chalet suisse. Souci de dissimulation stratégique autant que de protection des apparences ; l'image de carte postale est un trésor national à défendre au même titre qu'une escadrille de chasse.

C'est dans l'un de ces abris souterrains que mon frère s'est réfugié après sa finale de Bruxelles.

J'ai récupéré la 911 en sortant de l'hôpital et, calée comme à mon habitude sur la file de gauche, j'ai pris l'autoroute en direction du Valais. Une heure un quart plus tard, après avoir survolé le lac et remonté le Rhône, j'arrivais à Sion. Dès la vallée, la pluie avait viré à la neige. Je me suis arrêtée en centre-ville pour boire un vin chaud. Il n'était pas encore midi. Dans l'auberge, des piliers de comptoir éclusaient leur carafon de blanc. On m'a complimentée sur ma carrosserie, garée juste devant, puis sur ma chevelure. J'ai essuyé la vitre embuée du bar. Sur les contreforts enneigés, on distinguait une myriade de chalets d'alpage. Était-ce l'un de ceux-là ? Ou David s'était-il exilé encore plus haut, entre ciel et montagne, où le regard ne va plus ?

Vous comptez monter là-haut avec vos talons ? Vous avez des chaînes ou des pneus neige, au moins, sur votre auto ?... Ne vous inquiétez pas, monsieur, combien je vous dois pour le vin chaud ?

44

La Porsche chassait du cul au moindre coup de volant. Les roues arrière patinaient, le moteur hurlait ; du pare-chocs, je râpais les congères. Cent fois, j'ai failli verser dans le fossé et repartir en tonneaux en direction de Sion. Cent fois j'ai maudit mon frère de s'être fourré tout là-haut.

J'ai reconnu le virage en épingle à cheveux et, juste au-dessus, le sentier de randonnée qui s'enfonçait dans la forêt. J'ai coupé le moteur et suis restée sur le bas-côté, les mains sur le volant, puis j'ai ouvert la portière. Le patron du bar n'avait pas tort. Une voiture de sport à propulsion et des escarpins à talons, ce n'était pas la meilleure option pour monter à mille cinq cents mètres au milieu de l'hiver.

Il m'a fallu du temps pour retrouver l'ancien abreuvoir ; enfoui sous la couche immaculée, il ressemblait à un cercueil de bois laqué. Je n'étais pas venue depuis des années. La dernière fois, j'étais repartie précipitamment, confuse et furieuse, le cœur battant et les cheveux défaits.

Je suis descendue entre les sapins avec de la neige jusqu'aux mollets. Pas un bruit, pas un oiseau, seul le crissement sous mes pas. Je ne sentais plus mes orteils.

J'ai failli renoncer, mais au moment de faire demi-tour, je l'ai aperçu, enfin, le couloir taillé entre les congères, fraîchement entretenu, qui menait au bunker.

La neige avait été tassée à coups de pelle ; j'y lisais les empreintes d'une semelle crantée.

Mes pieds gelés m'ont menée à la façade en béton où les militaires avaient peint un jeu de colombages et trois fenêtres garnies de rideaux en trompe-l'œil.

Derrière la façade factice j'ai retrouvé la porte

blindée. Ni sonnette ni boîte aux lettres. Voilà ce que mon frère s'était payé après Bruxelles : deux pièces creusées dans la roche, doublées de béton armé, pour plus de sûreté.

Pour l'acheter à l'armée et l'aménager, David avait vendu son Vuillaume, celui que notre père lui avait payé pour ses treize ans. Claessens affirmait que c'était un instrument exceptionnel et il avait raison. David ne s'y était jamais fait, éprouvant les pires difficultés à le jouer, des années durant.

Puis Krikorian lui avait fait son cadeau insensé, celui d'un grand-père à son petit-fils ; le paysage s'était éclairci et le Vuillaume de Claessens avait fini dans son étui.

Mon frère avait choisi de le revendre ou, pour mieux dire, de le brader − cela relevait quasiment de la conjuration − au second violon déchu de l'OSR qui s'en était porté acquéreur, un soir, sur l'esplanade déserte de Plainpalais, en liquide, à la manière d'un brocanteur du marché aux puces, énième affront d'un subordonné à son chef, ultime provocation d'un fils envers son père. Puis le second violon s'était présenté au Victoria Hall lors d'une générale, quelques jours à peine après le cataclysme bruxellois, le Vuillaume de mon frère calé sous son bras. Mon père, encore hagard, avait blêmi en reconnaissant l'instrument.

Il régnait dans cette forêt un silence de cathédrale. *Bitte rufen Sie später an, der gewünschte Teilnehmer kann momentan nicht erreicht werden.* Je suis ressortie du décor de pacotille, et j'ai déniché une pierre − que j'ai eu toutes les peines du monde à desceller de l'humus vitrifié − pour cogner contre la porte blindée de mon frère. C'est à ce moment précis, tandis que je me métamorphosais en poupée de glace, que m'est apparu le cerf.

Il a débouché sans crier gare. Nous n'étions pas à dix mètres l'un de l'autre. Il s'est figé dans la neige et m'a fixée, longtemps, vigilant, altier, sous sa ramure curieusement asymétrique. Le bois gauche paraissait atrophié tandis que le droit, par un effet de compensation, s'élevait en de multiples ramifications. Son souffle gonflait sa poitrine amaigrie. Un jet de vapeur a filtré de ses naseaux et un frisson a parcouru son épiderme. Je me suis relevée *pianissimo,* le gros caillou toujours entre les mains. Alors le cerf s'est éclipsé entre les arbres vêtus de givre, passant de l'immobilité au galop, dans un silence total.

J'ai lâché la pierre et fixé les traces qu'il avait laissées. Ce n'était pas un mirage.

La douleur s'est réveillée, une brûlure intense, comme si j'avais marché sur des braises. Je me suis laissée tomber et mes larmes ont creusé la neige. Combien de temps cela a-t-il duré ? Je pensais à mes orteils en train de geler. Pourquoi ces chaussures au cœur de l'hiver pour chercher mon frère ? Pourquoi pas une robe longue de concert, tant que j'y étais, avec un décolleté vertigineux ? Et des diamants au poignet ? Dans mes habits de star, clown égaré au milieu de la forêt, je pleurai sans fin.

Quand je me suis enfin relevée j'ai fouillé les poches de mon manteau, récupérant le programme d'un récital que j'avais donné à Salzbourg quinze jours plus tôt. D'une main engourdie, j'ai écrit quelques mots sur le papier glacé, juste sous ma photo, puis j'ai tenté de coincer le billet dans un volet. Un courant d'air l'en a aussitôt fait glisser. Alors j'ai

47

fourragé dans ma tignasse et j'ai fixé mon message sur la façade en béton grâce à l'épingle dérobée à ma chevelure.

J'ai pris le chemin pour retourner à la voiture. La nuit était peut-être tombée, je ne sais plus ; j'avais perdu toute sensation du temps. J'avançais dans la neige en tremblant de tout mon corps, quand soudain, je m'en souviens comme si c'était hier, je me suis mise à fredonner la sonate que j'avais jouée à Salzbourg. La *Sonate n° 16* de Mozart.

*
* *

Je dois vous dire que j'ai menti.

En réalité j'ai toutes les peines du monde à mémoriser mes partitions. C'est un long effort, laborieux, ingrat, abrutissant, source de souffrances puisqu'il me met face à mes insuffisances et mes faiblesses ; il refait de moi une petite fille anonyme ahanant au-dessus de son clavier. Et le pire n'est pas l'apprentissage, le travail préparatoire, mais bien le concert. Vient toujours le moment, en plein mouvement, où le gouffre s'ouvre sans crier gare. Je suis au bord du précipice, au-dessous de moi c'est la nuit noire : j'ai l'impression de ne plus savoir, d'avoir tout oublié, la note, la phrase suivante, si c'est à moi de jouer, s'il me faut faire silence ; mon sang se fige et je suis prise d'un terrifiant vertige. Je me vois déjà m'arrêter en plein mouvement, frotter mes paumes l'une contre l'autre, me tourner vers l'orchestre, le chef, ou bien vers le public si je suis seule en récital. Je m'imagine bredouiller des excuses confuses. J'ai huit ans. Dix à tout casser. *Pardon, mesdames et messieurs les jurés, j'ai oublié les notes, je ne sais plus ce que je suis censée*

48

raconter. Je sais que vous avez payé très cher votre place, je sais que vous êtes venus me voir et m'écouter, moi, Ariane Claessens, qui joue sans cesse à la limite, qui danse sur un fil en robe du soir, et dont tout le monde se demande si elle va se casser la figure, se fracasser par terre, mais qui ne tombe jamais.

Car, voyez-vous, je me rattrape toujours. Le gouffre du silence s'ouvre sous mes mains et je sais d'expérience qu'il faut fermer les yeux de toute urgence. S'oublier. Ne plus être une soliste de premier plan mais simplement dix doigts galopant sur des touches noires et blanches.

Un soir, il y a longtemps, j'ai cru ma dernière heure de pianiste arrivée. J'étais en train de basculer dans le trou de mémoire. Cette fois je ne me rattraperais pas. Autour de moi, une cohorte d'ambitieux musiciens faisait la queue, une poignée de terre dans la main, attendant que mon cercueil soit descendu au fond du caveau pour signer à ma place tous les juteux contrats ; juste derrière, une équipe de critiques, la pelle sur l'épaule à la manière des fossoyeurs, jacassait au spectacle de cet enterrement de première classe. Ce soir-là, oui, j'ai bien cru y passer pour de bon. C'est là que j'ai fermé les yeux pour la première fois et que j'ai cessé d'être Ariane Claessens, laissant mes doigts prendre le commandement.

C'est usant. C'est épuisant. Parce qu'il n'y a aucune garantie que le miracle se reproduise de concert en concert. Cent ans, vous dis-je, et non vingt-sept. Je ne suis qu'une vieillarde en costume de princesse. J'ignore combien de temps j'arriverai à tenir. La corde se défait brin à brin et je ne sais plus si je peux m'y suspendre de tout mon poids.

Un jour peut-être aurai-je cette sagesse, cette

maturité d'entrer sur scène ma partition à la main, de la poser sous mes yeux, sur le piano, et de jouer libérée, au moins de cette trouille-là, de cette imbécile course à l'apparence – *le virtuose joue par cœur car le virtuose a une mémoire d'ordinateur.* Un jour peut-être en arriverai-je là. Mais je n'y suis pas encore parce que, voyez-vous, chers spectateurs, derrière la file de vautours qui attendent ma mort pour me déchiqueter les chairs, derrière les pianistes concurrents et derrière les critiques, il y a aussi le fantôme de mon grand frère.

Le moins que l'on puisse dire, c'est que tu avais des facilités de ce côté-là. Gamin déjà, ton instrument était ta voix. Yaël chantait et toi tu t'amusais à reprendre l'air sur ton violon. Tu aimais tant mémoriser à l'oreille. Les partitions, c'était bon pour y mettre les annotations en classe d'interprétation, or toi tu ne prenais pas de notes. Pourtant tu n'avais rien d'une tête de mule. Pendant des années tu as sagement absorbé les conseils des professeurs, en élève assidu du conservatoire de Genève, en bon fils aussi, car il était impensable que le rejeton du directeur musical de l'OSR ne figure pas parmi les meilleurs. Simplement tu ne notais jamais rien par écrit ; tout s'inscrivait dans ta mémoire, les notes comme les remarques des enseignants, si bien que tes partitions, que tu laissais la plupart du temps à la maison, restaient d'une propreté immaculée.

Très vite, tu as voulu vibrer. C'était le timbre de notre mère que tu cherchais à imiter. Ce timbre si particulier, que nous avions tant entendu dans notre petite enfance, et puis qui s'était tu. Ce timbre-là que tu essayais nuit et jour de reproduire, de mémoire. Pour que ton son se rapproche du sien, il te fallait expérimenter cette technique si particulière, ce mouvement conjugué du poignet et de l'avant-bras transmis au gras du doigt, entraînant une oscillation du son autour de la note jouée. Le vibrato, ce qui fait d'un violoniste ce qu'il est, ce qui le rend immédiatement reconnaissable à l'oreille de tous.

Nous sommes naturellement devenus partenaires de sonates. David Claessens et sa petite sœur Ariane. La rouquine un peu garçonne, au visage grêlé de taches de rousseur, et l'échalas aux cheveux charbon, dont les yeux noirs semblaient interroger la terre entière, en permanence et en silence. Tu te souviens comme nous nous sommes trouvés sans même avoir à nous regarder ? *Bon sang ne saurait mentir*, c'est ce qu'on disait de nous au terme des petits concerts que nous avions pris l'habitude de donner.

À la maison aussi, enfants, adolescents, il nous fallait passer des auditions, plus exigeantes encore qu'au Conservatoire, sous l'œil d'un Claessens qui nous faisait reprendre et reprendre sans cesse. Les séances de travail n'en finissaient pas, avant les classes, après les classes. Ma mère, elle, n'y assistait plus depuis longtemps.

C'est bien simple, le mot que j'associe à mon père, que je lui ai le plus souvent entendu dire, c'est *Recommence !* Avec moi, Claessens était d'une exigence insatiable, mais il nous arrivait aussi de rire lorsqu'il s'asseyait à mes côtés pour me montrer comment jouer tel ou tel passage à la manière de Gilels, Gould ou Gulda. Mon père était un vrai petit-maître dans l'imitation, un remarquable photocopieur.

Cette exigence, lorsqu'elle ciblait mon frère, prenait plus volontiers le chemin du reproche, souvent cassant, parfois blessant. David encaissait en silence, comme si l'injonction paternelle – *Recommence !* – avait été une sorte de fatalité, la marque d'un destin qui lui aurait imposé de rejouer chaque exercice ou chaque passage de sa vie quinze fois sans se tromper. Sans quoi, à la moindre imprécision, le couperet tomberait aussi sûrement que la pomme finit par se détacher de l'arbre – *Recommence !* –, et il faudrait en effet tout reprendre à zéro.

Pourquoi Claessens se comportait-il ainsi avec mon frère ? C'était comme si toute notion de plaisir, de joie dans le jeu avait été bannie sitôt qu'il s'adressait à lui. Était-ce parce qu'il était de toute évidence le plus doué de nous deux ? Ou bien parce que David avait, quelques années plus tôt, du haut de ses six petits printemps, infligé son premier camouflet à mon père, en préférant le violon au piano, devant tout l'OSR goguenard ?

*
* *

Ils ont passé Claessens sur le billard et l'ont gardé quelques jours pour lui faire subir les traitements les plus lourds. Puis ils ont voulu le renvoyer chez lui, avec des rendez-vous hebdomadaires pour la thérapie. *Est-ce que votre père a quelqu'un ?... Vous voulez dire à l'appartement ?... Je veux dire dans la vie... Disons qu'il connaît beaucoup de monde dans le milieu de la musique... Il vit seul ?... Je crois, oui... Et vous, vous habitez Genève ?... Non, Paris... Il y a quelqu'un qui pourrait prendre soin de lui ?... Je réfléchis... Vous avez bien un frère ?... Qui vous l'a dit ?... Votre père, avant l'anesthésie. Il avait l'air soucieux à son sujet. Il vit en Suisse ?... Mon frère ? Oui, à Sion... Je ne vous cache pas que les prochaines semaines risquent d'être difficiles. M. Claessens aura besoin de beaucoup d'attention. C'est dans ces moments-là que les liens familiaux sont appelés à se resserrer.*

J'ai appelé Miroslav pour annuler mon enregistrement à Radio France et, dans la foulée, tout mon programme de février. Sa fille entamait une énième cure de désintoxication dans une clinique privée. *Je m'en occupe, ne t'en fais pas pour les contrats. J'espère que ça ira pour ton père. C'est dans ces moments-là, tu sais... Je sais, Miroslav, le médecin m'a déjà sermonnée tout à l'heure. Je t'en supplie, prends du temps avec ta fille. C'est tout ce qu'elle cherche, tu sais. Ton attention.*

Claessens s'est montré soulagé de retrouver l'appartement des Tranchées après quinze jours d'hospitalisation. Sitôt rentré il a refermé le couvercle du clavier que j'avais laissé ouvert dans le salon, puis il est allé se coucher.

Plus tard dans la nuit, j'ai entendu du bruit. Je m'étais installée dans ma chambre, au milieu des partitions. Dans le placard, j'avais trouvé une housse de couette imprimée de petits requins (ou étaient-ce des dauphins?) et je m'étais allongée dans mon lit d'enfant. Je fixais les ombres au plafond en pensant qu'il faudrait trouver un accordeur pour prendre soin du Steinway. Le bruit venait de la cuisine, alors je me suis levée pour aller voir.

Mon père était là, pieds nus sur le carrelage, en pyjama, une flûte à champagne entre les doigts. *Qu'est-ce qui se passe, papa?... J'ai très soif. Et toi, rouquine, qu'est-ce que tu fais là?...* C'était la première fois qu'il m'appelait *rouquine* depuis bien longtemps. Il a porté le verre à ses lèvres et mes yeux sont tombés sur la bouteille de lessive liquide encore ouverte. Je l'ai empêché de boire son Omo Sensitive d'extrême justesse.

À l'hôpital, on m'avait prévenue qu'il risquait d'adopter des comportements incohérents. Son langage, aussi, allait se dégrader rapidement. Les phrases qui vont se raccourcissant. Un mot à la place d'un autre. Et puis quelques poussées d'agressivité.

Je l'ai remis au lit sans qu'il comprenne ce qu'il avait pu faire de mal, pourquoi je m'étais mise à hurler en pleine nuit, au beau milieu de la cuisine. Il avait toujours soif et je lui ai apporté une bouteille d'eau avant d'éteindre les lumières. Puis je l'ai bordé comme un enfant. J'ai attendu, longtemps, que sa respiration se fasse plus régulière, dans le silence et dans le noir. J'entendais le décompte s'égrener à chacune de ses expirations. Tic-tac, tic-tac, faisait la Mort tout en fixant mon père.

Scherzo

*Il doit foudroyer quiconque enfreint la loi.
Il a les lois sous les yeux, c'est la partition.
D'autres l'ont aussi et peuvent contrôler son
exécution mais lui seul décide, et lui seul
juge les fautes sur-le-champ. Comme il le
fait publiquement, visible de tous jusqu'au
moindre détail, il en tire un sentiment sin-
gulier de sa valeur. Le chef d'orchestre s'ha-
bitue à être toujours en vue, et il lui est de
plus en plus difficile de s'en passer.*

Elias Canetti, *Masse et Puissance*

Je n'ai participé qu'à un seul concours, près de deux ans après le scandale de Bruxelles, mon frère enfui dans son bunker, et tout ce qui s'est ensuivi du côté de mon père. J'avais tout juste dix-huit ans. Ma carrière n'avait pas encore décollé mais déjà j'étais mal vue en Europe, un peu parce que j'étais belle, donc superficielle, beaucoup parce que je m'appelais Claessens. La fille du chef qui avait... La sœur du violoniste qui s'était... Enfin, tout le monde était au courant.

Je suis partie pour New York prendre part à cette compétition marginale, sponsorisée par un loueur de pianos, en dehors du circuit des grands concours internationaux, ceux où l'on vous exhibe sur scène après vous avoir fait tirer un numéro, autant dire un dossard, comme les coureurs du Tour de France.

À New York, chaque candidat est anonyme, il joue derrière un paravent. Le jury ignore son nom et de quoi il a l'air, il ne peut voir les effets de manche, les visages déformés par l'émotion, la sueur qui coule à flots dans la lumière des projecteurs.

À New York, le vainqueur ne remporte ni argent

ni *standing-ovation*, mais un contrat pour graver son premier disque et se produire au Carnegie Hall.

À New York j'ai joué libre, sans me soucier un instant du regard des autres ; je pouvais les sentir de l'autre côté de l'écran, mes juges, mais j'ignorais tout d'eux comme ils ignoraient tout de moi, jusqu'à mon sexe.

À New York j'ai joué la sonate en si mineur de Liszt pour un paravent. J'ai perdu toute notion d'espace et de temps. À un moment donné – je suis prête à le jurer sur tout ce que vous voudrez, sauf sur la tête de ma mère ou de mon père –, j'ai eu la sensation que mon piano ne touchait plus terre ; sa demi-tonne de bois et de ferraille flottait au-dessus de la scène, tout paraissait simple, léger, évident. Je n'étais plus Ariane Claessens mais une bulle de savon, lisse, brillante, transparente, où dansaient mille millions de notes. Cette sensation, je vais vous dire, vaut toutes les drogues du monde. Il suffit de la connaître une seule fois pour en faire le but d'une existence tout entière : retrouver l'émotion, la simplicité, la grâce de ce récital pour paravent donné peu après mes dix-huit ans.

Souvent, il suffit de rester parfaitement immobile à la fin d'une pièce, l'air pénétré, pour déclencher une salve d'applaudissements. Tout se joue dans ces quelques secondes de résonance – *Elle est si belle et son émotion si intense, elle est toute pleine encore de sa musique immense, l'immense artiste ; célébrons-la comme il se doit pour la faire atterrir en douceur sur un tapis de bravos et d'encore ; alors elle se tournera vers nous, public conquis, et nous gratifiera d'un salut, peut-être même d'un sourire où se mêleront la joie, l'humilité et l'épuisement.*

58

La sonate de Liszt convient on ne peut mieux à ce petit exercice de manipulation des foules. Les dernières notes ménagent à l'interprète désireux de jouer de son charisme un véritable boulevard. À New York, je me suis offert ce plaisir de l'immobilité absolue, du silence lourd de sens, précisément parce que j'étais cachée de tous. Les secondes s'écoulaient. De l'autre côté du paravent, pas un bruit, pas un applaudissement. Juste un discret toussotement. Puis une voix d'homme, un peu haut perchée, a dit *Thank you very much* en appuyant légèrement sur le *very*, quelqu'un s'est mouché non loin de là, et je suis sortie de scène en pensant que ce simple remerciement valait trois mille spectateurs en délire.

À New York, il n'y avait pas non plus d'annonce officielle des résultats avec grosse caisse et roulement de tambour. Pour connaître le classement de la compétition, il fallait appeler le soir même un certain numéro à une certaine heure. Digne d'un roman d'espionnage, n'est-ce pas ? Vous allez voir, la suite est encore meilleure.

Je me suis rendue dans un musée, celui des Cloîtres, au nord de Manhattan, pour tuer le temps en attendant de savoir si j'avais bien fait de me payer ce Genève-New York en classe éco, évidemment sans prévenir personne au Conservatoire, et encore moins mon père.

The Cloisters, c'est l'invraisemblable assemblage de cinq monastères romans et gothiques transportés d'Europe en Amérique pour y constituer un musée d'art médiéval, le tout financé par John D. Rockefeller Jr. J'ai erré deux bonnes heures dans cette abbaye d'opérette, songeant à ce frère qui s'était enfermé dans un bunker pour y vivre son idéal monastique et y ressasser son goût immodéré pour le silence.

J'ai fini dans une vaste salle où pendaient sept tapisseries brodées au tournant du XVIe siècle ; elles représentent les sept étapes d'une chasse à la licorne ; ces tableaux-là, je les connais par cœur, ils se sont imprimés à jamais dans ma médiocre mémoire, je peux vous les décrire si vous voulez bien faire travailler votre imaginaire :

Les chasseurs et leur meute pénètrent dans la forêt.
Une jeune vierge sert d'appât pour attirer l'animal.
La licorne est débusquée, traquée, cernée par mille lances acérées.
L'assaut est donné.
La licorne se débat.
Les chiens et les lances lui déchirent les chairs.
La licorne blessée dépérit dans un enclos près du château.

Proche de sa fin, la pauvre bête se cogne aux barreaux de sa prison dans une ruade désespérée. Ses plaies laissent couler son sang, sa robe blanche en est maculée. Un collier orné de pierres précieuses lui enserre le cou et ses geôliers ont pris soin de l'attacher à un arbre fruitier.

Seule dans la salle, je me suis assise face à la septième tapisserie et, à l'heure dite, j'ai appelé le numéro. Le jury m'avait élue *Artist of the year* et déclarée vainqueur. J'ai dit *Thank you, thank you so much* en appuyant légèrement sur le *so much*. Je n'arrivais plus à détacher mes yeux de la licorne enchaînée. Autour de son enclos poussaient mille millions de fleurs colorées. Alors des pas ont résonné sur le parquet et le vieil homme est venu s'asseoir à côté de moi, se plongeant dans la contemplation des sept tapisseries. Il portait une veste en tweed, peut-être bien la même qu'à Bruxelles, et il sentait le tabac froid.

Savez-vous ? C'est une de mes œuvres favorites, cette chasse à la licorne. Quand je suis de passage à New York je ne manque jamais de venir la voir, si belle et si blessée, pourchassée par la horde des vulgaires. C'est à vous donner envie d'ouvrir l'enclos qui la tient prisonnière... Je le regardais sans dire un mot. J'avais mon téléphone en main, encore tout chaud de la nouvelle de ma victoire. *J'étais là tout à l'heure. Je vous ai entendue jouer Liszt. Je me suis demandé qui pouvait jouer ainsi la sonate en si mineur. Homme ou femme ? Je me le suis demandé tout au long de votre performance... Et alors ? Avez-vous pu trancher avant la fin ?... Derrière le paravent, j'étais certain de trouver un garçon. Je ne saurais dire pourquoi, je me l'étais imaginé très brun ; des cheveux bouclés, un visage assez fin mais des mains larges et puissantes... C'est le portrait de mon frère que vous êtes en train de faire... Je me souviens très bien de vous, Ariane. Nous nous sommes vus au Reine Élisabeth il y a deux ans de cela. Vous étiez une adolescente encore tournée vers son enfance et vous voilà devenue femme... Je me souviens de vous aussi... C'était après sa demi-finale à lui ; il m'avait renvoyé ma carte de visite à la figure... Vous exagérez. Il voulait simplement boire son thé tranquille, rester un peu dans sa bulle... Bien sûr, j'exagère. C'est en cela que consiste mon métier. Tout exagérer, rendre visible l'invisible... Ôtez-moi d'un doute, monsieur Bogatt, vous m'avez suivie jusqu'ici ?... Bien entendu, très chère. Je ne pouvais me résoudre à vous*

laisser filer après votre mémorable interprétation...
Vous n'avez pas eu le frère il y a deux ans, alors vous
vous êtes dit que vous pourriez convaincre la sœur de
rejoindre votre écurie... Vous êtes aussi différente de
David qu'une licorne l'est d'un jeune étalon... Quelle
si grande différence y a-t-il ?... Mais la corne, très
chère, la corne, celle qui sert à transpercer l'adversaire,
à survivre dans un monde où l'on doit choisir entre
chasseur et chassé... Regardez-la, monsieur, votre
licorne, blessée à mort dans sa prison. Vous lui trouvez
vraiment fière allure ?... Comme je vous le disais tout à
l'heure, Ariane, la clé de l'enclos, c'est moi qui l'ai. Je
serai le garant de votre indépendance artistique et de
votre liberté de femme. Et je sais qu'en échange vous ne
ferez jamais le coup de votre frère en finale à Bruxelles.
Jamais. Et si nous allions fêter votre victoire ? Vous
êtes libre pour dîner ?

À New York, je n'ai pas joué pour un paravent
mais bien pour Miroslav Bogatt, je l'ai compris plus
tard. Il a changé ma vie en faisant de moi une star.
Il m'a rendue riche à millions. Je pose dans les
magazines, régulièrement je fais les couvertures de
la presse féminine. Je voyage dans le monde entier
pour donner des concerts, une grosse centaine par
an ; sur scène je porte des robes de couturier et des
bijoux sortis d'un coffre-fort ; à la fin, invariablement, les gens se lèvent et m'applaudissent. Comment voulez-vous que je ne lui transperce pas le
cœur à coups de corne à la moindre occasion ? La
clé de mon enclos, Miroslav la conserve précieuse-
ment, dans la poche de son éternelle veste en tweed,
tout à côté de son étui à cigares.

*
* *

La maladie de ma mère, Claessens la date de ma naissance. Son déclenchement, du moins. C'est sa version des faits : déraillement *post-partum*, lent, progressif, à l'inertie phénoménale, jusqu'au mur du silence.

Nous sommes encore à Paris. Le père s'occupe de sa carrière ; à cette époque il est encore un pianiste en vogue. Au moment où Yaël entre à la maternité, il enregistre les sonates de Schubert. Critiques excellentes. Voyage beaucoup pour ses concerts. Argent. Succès.

Seule dans la capitale, Yaël, dans ses bras une petite fille au roux duvet qui gigote sans cesse, à ses pieds un fils aux boucles noires, invariablement silencieux. C'est peu dire que mon frère parle peu, et tard. Comme chacun sait désormais, David prend véritablement la parole le jour où, au beau milieu d'une répétition de Claessens, il pique son instrument à un violon de l'OSR. C'est aussi la date, je vous l'ai dit, de mon premier souvenir. Avant cela, je n'ai pas de mémoire, rien ne s'y inscrit. Je suis forcée de faire avec des témoignages de seconde main. C'est-à-dire, pour l'essentiel, la version paternelle.

Il ne nie pas ses responsabilités, d'ailleurs. Une toute jeune cantatrice, fraîchement débarquée de Tel-Aviv, à qui l'on fait endosser le rôle de mère, une fois, deux fois. Elle ne s'y oppose pas, jamais. Le gosse, n'est-ce pas la preuve, le fruit tétant et vagissant de l'amour ? Seulement voilà, quelle place laisser à la musique dans cette vie de biberons et de couches ? Arrivée à Paris trois ans plus tôt, des étoiles plein les yeux et du velours dans la voix, toute remplie des promesses de Claessens, la soprano n'y arrive pas. Rien à voir avec l'apprentissage du français, ou un quelconque problème d'assimilation. De toute façon elle n'a pas le choix, elle a coupé tous les ponts, toutes les attaches avec son pays natal. Cette question-là, celle de l'apprentissage de la langue et des manières bourgeoises, elle s'en débarrasse en six mois tout au plus à coups de cours intensifs, gardant cependant cet accent qui ne fait qu'ajouter à son charme, en tout cas aux yeux des hommes, c'est-à-dire des gens de pouvoir qui décident d'une carrière. Alors quoi ? Sont-ce les leçons de la rue de Madrid qui ne lui conviennent pas, trop austères, trop corsetées pour son timbre cultivé au bord de la Méditerranée ? Non plus, non, les professeurs du Conservatoire la décrivent comme une élève douée, musicalement mûre, et terriblement solaire. Le réseau parisien, alors, qui tarde à se constituer ? Sans réseau l'on n'est rien ou, pis encore, une inconnue. Mais le réseau est là, c'est celui de Claessens, son mari, son aîné de vingt ans, qui la sort aux premières, aux cocktails, aux soirées, même si elle n'y joue pas le rôle de l'artiste, jamais, seulement celui de la jeune épouse en robe-bustier, chignon serré, le cou ceint d'une rangée de perles sauvages, souriante, charmante, exotique.

Alors qu'est-ce qui ne marche pas ?

C'est là que mon père commence à parler de fragilité. D'instabilité innée. C'est là que Claessens parle de l'enfance de Yaël en Israël. De l'héritage laissé par les générations européennes, détruites, annihilées.

Des raccourcis, tout ça. Des raccourcis, *papa*.

Le temps passe, les gosses grandissent. Le fluide vital qui tient Yaël Claessens debout s'écoule hors de son corps, finit dans le caniveau. Sa voix se tarit. Ma mère maigrit, s'assèche, s'évide, s'embourgeoise aussi. Bijoux, voitures, chaussures, fourrures. Une poupée défraîchie.

Vous comprenez, maintenant, n'est-ce pas ? Pourquoi je refuse obstinément de me soumettre au jugement des hommes. Jamais ils n'auront de droits sur moi. Je me façonne seule ; je prends sans jamais me laisser prendre ; je choisis sans jamais me laisser choisir. J'assemble mon personnage pièce à pièce. C'est mon œuvre à moi, mon lent travail de compositrice, en dehors des modes, en dehors de toute influence. Je laisse à Miroslav le soin de régler les détails – les hôtels, les avions, les contrats. Mais lorsque je m'assois au clavier sous le feu assommant des lumières, personne – je dis bien, personne – ne me dicte ma façon d'être ou de jouer.

La seconde carrière de Claessens aurait pu tout changer pour ma mère. Ce passage du clavier à la baguette, la nomination à la tête de l'Orchestre de la Suisse romande, le déménagement à Genève. Après tout, ce sont les chefs qui font et défont les cantatrices. Mais il est bien trop tard, d'un côté comme de l'autre de la frontière, quelque chose s'est cassé entre Yaël et mon père, et l'arrivée en Suisse ne fait qu'accentuer la dégringolade. Bientôt, elle ne chantera plus, si ce n'est comme tout le monde, distraitement, sous la douche, en se shampouinant la tête.

C'est vrai, j'oubliais de vous dire, à vous qui ne la connaissez pas, qui ne l'avez jamais vue. Dans sa jeunesse, la chevelure de ma mère était d'un roux flamboyant. Quand je me regarde dans la glace, c'est elle que je vois à vingt ans, la grâce en moins, l'armure en plus.

*
* *

Ma carapace ne vaudra jamais la tienne, celle qui t'a poussé sur le tard, après la finale de Bruxelles ; cent tonnes de béton coulées dans la terre et la roche valaisannes, au bout d'un chemin qu'aucun randonneur n'emprunte jamais, même par erreur, même par désespoir – pas même les suicidaires –, tant la nature à cet endroit semble inhospitalière. Les militaires ont le chic pour dénicher des lieux pareils. Les militaires ou les illuminés qui s'y bâtissent des monastères. Je t'imagine un peu entre les deux, mélange de moine et d'officier d'un autre temps... Non, c'est faux. Tu ne ferais pas de mal à une mouche (du moins pas consciemment ; tes ravages involontaires, c'est autre chose). Les galons, les décorations, le respect de la hiérarchie, très peu pour toi. Même enfant, tu ne jouais pas à la guerre, jamais de fusil de bois, pas de pan-pan ! puisque déjà tu passais tout ton temps avec ton instrument.

As-tu encore une part de musicien en toi ? La dernière fois que tu m'as laissée entrer dans ton bunker, il y a si longtemps en arrière, j'ai vu, sur ton violon pendu, celui que Krikorian t'avait offert, l'épaisseur de la couche de poussière. Tu ne joues plus maintenant. Pries-tu ? Pries-tu seulement ? À la manière des chartreux, tapissant ton temps de murmures et de silence. *Vita activa* contre *vita contemplativa*, est-ce ce troc-là que tu as conclu en t'enfermant entre ces quatre murs ? Toi qui ne croyais pas dans le Dieu des chrétiens, pries-tu au moins les dieux païens de la musique pour qu'ils te rendent à ta joie de jouer, celle qu'à la longue ils ont

66

fini par te voler ? Car, sinon, que peux-tu faire de tes journées ? J'ai peur de le savoir. J'ai tellement peur de te revoir. Dans quel état seras-tu après toutes ces années de réclusion volontaire ? *Je ne suis bon qu'à cela, petite sœur, à jouer, à jouer, à jouer.* Que peux-tu faire de tes journées, alors ?

Sur la table de ta cellule, j'ai vu ces liasses tenues serrées par un jeu de pinces à linge. Sur chaque page, une portée, des notes, celles de l'*Opus 77*, version de concert, reconnaissable au premier regard, couverte d'une écriture dense que je ne te connaissais pas. Enfant, tu ne m'as jamais vraiment donné l'opportunité de te lire ; tu ne prenais jamais de notes au Conservatoire ; tu laissais peu de traces de ton passage sur terre ; tu gardais tout dans ta mémoire.

Que peux-tu bien inscrire sur tes multiples exemplaires du concerto russe ? Quel monstrueux palimpseste rédiges-tu dans le silence de ton blockhaus ? Recouvres-tu les événements de ton enfance, de ton adolescence d'une couche épaisse d'encre et d'oubli ? Est-ce à cela que tu t'occupes là-haut ? Les cris, les hurlements, mais aussi les non-dits, les absences, les regards lourds de sens, les terrifiants mots d'adieu dans le lavabo de la salle de bains. Est-ce bien cela que tu effaces ? Prends garde, je t'en supplie, de ne pas tout égarer. Garde nos rires et nos caresses complices, nos fuites éperdues au milieu de l'orage. Conserve au fond de toi ces petits gestes de rien du tout que nous avions coutume de nous offrir pour résister. Un jour, je suis venue laper tes larmes, te souviens-tu ? À la manière d'un chiot, j'ai bu à la fontaine de ta tristesse, laissant sur tes joues un film de salive pellucide. Surprise intense sur ton visage si souvent impassible, tu ne t'attendais pas à cela venant de la petite rouquine.

67

Mon geste t'a fait passer en un instant des larmes au rire. *Recommence, recommence, recommence...*

Dans ton blockhaus, tu as tout peint en blanc. Les murs, bien sûr, mais aussi les tables, les chaises, le lit et la penderie. Seul le violon de Krikorian, à son clou rouillé, a échappé à la vaste entreprise d'effacement du passé. Un jour, dans mille ans, un archéologue explorera ton refuge. Il comprendra que l'ouvrage militaire a été recyclé en ermitage. Et s'il lui vient l'idée de gratter sous la peinture ou la chaux, il exhumera des fresques colorées intitulées *La Vie de David Claessens en sept tableaux*. Je les connais par cœur, ils sont gravés à tout jamais dans ma médiocre mémoire, je peux vous les décrire, si vous voulez faire travailler votre imaginaire :

> *L'enfant prodige choisit sa voie.*
> *Il suscite espoirs et ambitions.*
> *Le fils trébuche, s'éloigne, ressasse.*
> *Dans son exil, l'enfant devient un homme.*
> *Le fils prodigue, tentant de regagner son foyer, s'égare.*
> *Blessé, il dépérit dans sa prison de béton.*

Mais à la différence des tapisseries de New York, ton histoire est en cours ; il nous reste quelques tableaux à écrire, toi et moi, et je ne désespère pas de te faire sortir un jour du bunker. La clé de ton enclos, de ta cellule 77, c'est moi qui l'ai, David. Moi, Ariane, ta sœur.

*
* *

En prenant la direction de l'OSR, Claessens acquiert deux statuts enviés, chef d'un orchestre de renommée européenne et notable genevois. La Suisse lui offre la possibilité de se changer en homme de pouvoir, le soliste errant devient suzerain musical. Mon père fait du Victoria Hall un donjon imprenable. Cela demande du temps, bien sûr, et de la détermination.

D'abord il faut s'imposer auprès de ses musiciens. Le défi n'est pas anodin, un bon pianiste ne fait pas forcément un bon chef, tout soliste qu'il est. La meute commence par le flairer comme un semblable, avec circonspection, en lui montrant parfois les dents, sans lui reconnaître d'emblée une position de mâle dominant. Il faut savoir user de charme autant que d'autorité. La frimousse rousse d'une gamine de quatre ans peut, en ce sens, se révéler utile.

C'est ainsi que l'Orchestre de la Suisse romande devient mon parrain, le plus officiellement du monde, et que je suis autorisée, du moins dans les premières semaines de la prise de poste de Claessens, à galoper dans les couloirs et les allées du Victoria Hall. À chacune de mes apparitions sur scène, pendant les pauses syndicales, je joue innocemment mon rôle : faire fondre d'attendrissement musiciens et musiciennes. Derrière cette heureuse tentative de séduction par procuration, il y a aussi chez mon père une idée qui ne se démentira jamais : un orchestre tout entier peut bien faire office de parrain puisque les individus qui le composent ne font, en définitive, qu'un ; rien ne doit dépasser ; le groupe idéal est un groupe soudé, pas de vedette, pas de mauvaise tête, qui travaille d'arrache-pied au service d'un seul homme : son chef.

Il convient donc d'émasculer d'entrée toute contestation potentielle. Au bout de six semaines seulement, un premier violon quelque peu égotiste est rétrogradé parmi les seconds. L'homme haïra mon père tout le restant de sa carrière, mais ne démissionnera pas. La haine n'empêche pas la soumission, bien au contraire. Claessens remporte cette première victoire, assoit sa souveraineté sur la dépouille d'un martyr, d'un instrument brisé. Hormis le désormais second violon dont l'éternelle aigreur finira par se perdre dans le tintamarre des cordes en train de s'accorder, plus personne, au sein de l'OSR, ne contestera l'autorité de mon père.

En deux saisons, Claessens achève sa mue. Au programme de la première, il dirige encore trois concertos depuis son piano. La deuxième année, il n'en reste plus qu'un. Ce sera le dernier. Il se bâtit dès lors un répertoire des plus classiques et consensuels – une trentaine d'opéras, une cinquantaine d'œuvres pour orchestre – dont il ne s'écartera guère, le ressassant sans cesse en compagnie de sa meute fidèle.

Genève devient une tête de pont. Les invitations se multiplient, de saison en saison. Claessens fait de chaque ville une forteresse à prendre, une ligne de plus à son palmarès. C'est la course au titre le plus ronflant, directeur artistique de tel festival, chef émérite, chef principal, chef émérite principal de telle ville. Jusqu'à Bruxelles, où il est né, dont il ne parle jamais en famille, qui en fait son chef invité, le temps d'un court mandat, d'un concours international et d'un tremblement de terre à l'échelle du microcosme musical.

Longtemps, Genève s'enorgueillit de cette visibilité. Les enchères montent, le salaire est à la hausse. L'appartement des Tranchées est rénové de fond en comble ; priorité est laissée au clinquant. Claessens cède avec délices à la dictature des apparences, garde-robe sur mesure, personnel de maison, puissante voiture, apparitions dans la presse populaire suisse, le plus souvent en famille. Dans cette course au pouvoir qui n'admet pas l'erreur, mon père finit, à force d'insistance, par conquérir le plus enivrant d'entre tous, celui de faire ou défaire une carrière. Pendant vingt ans, c'est aux artistes lyriques qu'il s'intéressera le plus. Précisément aux cantatrices.

*
* *

Un matin, mon père nous tire du lit à l'aube. Il commence par ma chambre, use de paroles douces, caresse mes cheveux défaits sur l'oreiller. Dans ses yeux, une lueur que je ne lui connais pas, un je-ne-sais-quoi d'espiègle et d'enfantin. *Debout, rouquine, debout, aujourd'hui pas d'école, pas de conservatoire, nous allons faire une surprise à ton frère pour son anniversaire.* David a treize ans aujourd'hui. Lui et moi nous habillons en quatrième vitesse. Derrière sa porte, j'entends ma mère, *Qu'est-ce qui se passe ? Qu'est-ce que c'est que cette histoire ?* mais Yaël ne paraît pas.

Nous sommes fin novembre, dehors le froid et la pluie nous saisissent ; nous trouvons refuge dans la grosse Mercedes de Claessens. Mon père fait des mystères, ménage une escale à la Coop de Plainpalais pour acheter des croissants au chocolat Cailler que nous grignotons en silence. Les yeux ensommeillés, nous prenons l'autoroute en direction de la France. Sur le pare-brise, les essuie-glaces battent la mesure. Claessens ne nous dit pas où nous allons, simplement que nous ne pouvons pas nous permettre d'arriver en retard, puis il écrase le champignon tout en se mettant à siffloter Mozart. Je suis assise à l'arrière. Dans le rétroviseur, je peux voir son regard, toujours la même lueur du gosse en train de faire une blague. Mon frère est assis à la droite de mon père, sur le siège passager, *la place du mort* ; David regarde le paysage défiler, curieusement étranger à cette curieuse matinée d'anniversaire.

Nous passons Lyon, poursuivons en direction de Clermont-Ferrand. J'ai un affreux besoin de faire pipi. *Retiens-toi encore un peu, rouquine, tu feras là-bas, nous y sommes presque.* Bientôt nous quittons l'autoroute ; mon père slalome entre les poids lourds pour respecter l'horaire. Enfin, nous arrivons à Vichy un peu avant onze heures. Nous nous garons dans une rue arborée non loin de la gare, à hauteur d'un bâtiment à la façade mangée par un rideau de fer.

Je comprends où nous sommes en sortant des toilettes où je me suis engouffrée ; c'est une maison d'enchères spécialisée dans les instruments anciens ; deux fois par an, elle organise une grande vente de lutherie ; trois jours durant, des violons et archets de grands maîtres italiens et français défilent sous l'œil averti du commissaire-priseur. Une voix au débit *staccato* nous parvient de la salle principale ; la vente a débuté depuis près d'une heure ; Claessens nous y pousse ; nous trouvons à nous asseoir au dernier rang.

C'est une pièce au papier peint suranné, entre le jaune pisseux et l'orangé typique des années soixante-dix. Un plafond de polystyrène où s'alignent les néons. Sur la moquette grisâtre, huit rangées de chaises en plastique marronnasse. Tout au fond, face à nous, un podium où trônent un pupitre et un écran ; des chiffres verts sur fond noir y passent à toute vitesse, le numéro des lots et les enchères en cours, égrenés par le commissaire-priseur qui conclut chaque transaction par un coup de marteau. Au pied du podium, un expert annonce le lot suivant ; un assistant en tablier vient brandir l'instrument bien haut pour que chacun le voie ; brève description, nom du luthier, époque, état de conservation, estimation de départ. La valse des offres démarre. Dans la salle bondée, les mains des investisseurs se lèvent, les montants fusent, le commissaire relance quand l'enchère se tasse. Un jeu. Un jeu sans intérêt pour les jeunes musiciens que nous sommes.

L'essentiel est ailleurs, sur ces quatre murs tapissés de violons et d'altos par centaines ; il ne reste plus un mètre carré de libre. Combien peut-il y en avoir ? C'est toute l'histoire de la lutherie qui semble reconstituée le temps d'une vente. Une invraisemblable collection d'instruments anciens réunie pour trois jours, ici, à Vichy. Sans compter les tables par-delà le podium, où s'alignent violoncelles couchés sur le flanc et archets rangés et numérotés par boîtes entières.

Je me tourne vers mon frère. Il a revêtu comme à son habitude le masque neutre de l'impassibilité, sa cuirasse préférée. Sait-il seulement à quel point ses yeux le trahissent, qui papillonnent de violon en violon à une vitesse folle, jaugeant, jugeant chaque instrument à sa ligne, à sa couleur, au brillant du vernis, tentant d'en imaginer le son quand une mèche vient en frotter les quatre cordes ; tout un orchestre imaginaire s'accordant dans sa tête avant un improbable concert. Cette fois, David, treize ans tout juste, ne peut dissimuler le vertige qui l'assaille, du moins pas à sa sœur.

Claessens, lui, s'est figé, bras et jambes croisés, le regard braqué vers l'écran noir où dansent les chiffres verts. Il semble presque s'ennuyer, regretter de s'être levé si tôt, d'avoir fait toute cette route sous la pluie. Les lots et les minutes défilent. Sur les murs, un à un, les violons disparaissent, finissent entre les mains d'acheteurs désireux de leur offrir une nouvelle vie, un musicien flambant neuf.

Le lot 221 est annoncé. Un violon du luthier français Jean-Baptiste Vuillaume daté de 1867, sur le modèle Guarnerius del Gesù, état de conservation exceptionnel. Un instrument rare, très recherché, assurément la pièce maîtresse de la matinée ; enchère de départ : trente-cinq mille.

Très vite, les prix s'envolent. La tension monte d'un cran dans la salle. Ils sont plusieurs à se le disputer. Un vieillard assis au premier rang, un appareil auditif coincé dans chaque oreille, qui n'en met pas moins sa main en cornet pour ne rien rater des hostilités ; deux Asiatiques sur la droite qui dialoguent en messe basse entre deux gestes du menton à l'intention du commissaire-priseur ; enfin une femme très maquillée, chignon serré et pantalon de cuir, restée dans l'embrasure, qui fait ses offres avec une nonchalance travaillée comme d'autres choisiraient une paire de chaussures.

Le Vuillaume dépasse déjà les soixante mille quand soudain Claessens se redresse sur sa chaise. C'est lui qui vient de placer la dernière enchère, le voici dans la course, c'est bien ce violon-là qui valait le voyage depuis Genève.

Soixante-dix. Les deux Japonais se consultent puis finissent par jeter l'éponge. Le vieux au sonotone place une offre à soixante-quinze. Le pantalon de cuir surenchérit à quatre-vingts. Mon père monte à quatre-vingt-dix. Là-bas, au premier rang, la main en cornet a quitté son oreille. En voici un de plus à déserter le champ de bataille, faute de moyens, de légèreté ou d'inconscience.

Un temps de latence. Le commissaire-priseur relance. Quatre-vingt-dix, une fois... Le pantalon de cuir tergiverse, tente une offre à quatre-vingt-quinze. Claessens cherche son regard et lui sourit avant de prononcer distinctement : *Cent dix, cent dix mille.* Son adversaire d'un jour, furibarde, quitte la pièce. Le marteau tombe, applaudissements.

Alors mon père se lève, comme pour saluer son public. Mais en guise de révérence il désigne mon frère, assis à sa droite, sur le siège passager, *à la place du mort.*

Mesdames et messieurs.
Cet instrument, c'est pour mon fils.
C'est pour mon fils David Claessens.
Regardez-le bien tous.

Nouveaux applaudissements, cette fois plus clairsemés. Claessens se rassied. Dans ses yeux, l'espièglerie s'est évanouie. Il semble moins sûr de lui. Bref regard vers le fils. Le silence s'installe. La gêne.

75

Bientôt l'incompréhension. Sur sa chaise en plastique, mon frère fixe obstinément ses chaussures, incapable du moindre sourire, du moindre remerciement.

*
* *

À défaut d'autobiographie aux requins, Miroslav a fini par me soutirer un shooting photo en compagnie d'un animal en voie de disparition. C'était il y a peut-être six mois. *Quel animal ?* ai-je demandé au téléphone. *C'est une surprise, ma belle...* Je me rends à l'heure convenue dans les locaux d'un hebdomadaire féminin. Je suis accueillie par une styliste. On me choisit un corset en cuir de chez Dior qui m'enserre les hanches jusqu'à la naissance des seins ; une blouse de soie blanche à manches bouffantes viendra en dessous ; en bas, un pantalon charbon et des talons vertigineux. Je passe entre les mains de la maquilleuse et de la coiffeuse. On met en valeur mes yeux verts et mes taches de rousseur, on me tire les cheveux en arrière en une longue tresse nouée serré, ambiance un tantinet dominatrice. Puis on me présente au photographe et au dresseur.

Car, voyez-vous, je suis censée me faire tirer le portrait en compagnie d'une panthère noire. La bestiole est là, d'ailleurs, dans un coin du studio, enfermée dans sa cage parsemée d'un peu de paille, le cou serti d'un collier de strass. Elle s'appelle Rani, c'est une petite star dans le monde de la mode et de la publicité, elle a déjà posé pour Chanel et Cartier.

Rani est sortie de sa prison, tenue serré au bout d'une chaîne par son dresseur. On la laisse un instant se dégourdir les pattes puis on l'invite à monter sur un piano laqué noir qui nous attend sur fond clair. Le photographe – un bellâtre plein de tatouages et de bracelets qui me dit avoir été reporter de guerre avant de se convertir dans les portraits d'artistes – règle ses éclairages. Son assistante orientera les réflecteurs argentés au gré des mouvements du gros chat noir. Celui-là joue les blasés sous la lumière des projecteurs. Il maîtrise mieux l'exercice que moi.

Enfin, j'entre dans le cadre et m'assois au clavier. Je n'ai pas l'autorisation d'approcher Rani de trop près, mes mains sont assurées au Lloyd's et un coup de griffe ou de crocs serait fort malvenu, tout le monde ici a été prévenu. Le félin me remarque à peine, de toute manière, trop occupé à se mirer dans le couvercle laqué du Yamaha. Le photographe claque des doigts pour attirer l'attention de l'animal vers l'objectif. Le but est de capter nos deux regards verts, la belle et la bête, superbes et sauvages, figées sur papier glacé pour stimuler le désir des lectrices autant que des lecteurs.

Au Moyen Âge, on associait la rousse tantôt à la prostituée, tantôt à la sorcière. Un roi – je crois que c'est le Très-Chrétien Saint Louis – est allé jusqu'à obliger les femmes faisant commerce de leur corps à se teindre les cheveux en roux, couleur des feux de l'enfer et de la luxure, afin de mieux les distinguer des autres, les honnêtes, les soumises, les bonnes mères.

Le photographe me demande de baisser le menton, d'entrouvrir les lèvres, d'esquisser un sourire. *Je ne suis pas très souriante de nature...* Je le sens un peu ennuyé par ma réponse. Tout ce bazar, la panthère, le dresseur, la location du piano, les vête-

77

ments de chez Dior, tout cela pour tomber sur une chieuse. Il tente de m'amadouer tout en nous mitraillant, Rani et moi. *Qu'est-ce qui vous intéresse dans ce métier ? C'est beaucoup de pression, non ? Mais j'imagine que jouer Mozart devant des milliers de personnes, c'est un truc de fou. Et qui sont vos idoles, alors ?... Mes idoles ?... Oui, vos modèles, les pianistes qui vous ont fait rêver quand vous étiez petite. Le type à la chaise, là ?... Le type à la chaise ?... Celui qui chantonnait pendant qu'il jouait. Gould, c'est ça ?...* Je lui livre un nom, un seul : *Buster Keaton... Ah bon ? Il était musicien aussi ?...* J'explique que c'est l'impassibilité de son visage qui me fascine. Le masque neutre, libre de choisir à tout instant entre comédie et tragédie. Si Keaton est l'acteur le plus expressif de tous les temps, c'est justement parce que son jeu dépasse la mimique et le cabotinage. Absolument exemplaire. Un véritable aspirateur à spectateurs.

Rani continue de s'admirer dans le miroir du piano. Le photographe se gratte le crâne, perplexe, me demande de faire un geste avec mes mains, la première chose qui me passe par la tête, *Un truc à vous, qui vous ressemble bien...* Je pose mes doigts sur les touches blanches. *C'est ce qui me ressemble le plus...* Je le déçois encore. Il s'attendait à ce que je passe la main dans mes cheveux, que je me cache la bouche ou les yeux, qui sait, que je me tripote le bout des seins.

Au tout début de ma carrière, on disait que j'étais belle comme une actrice. Mes cheveux attiraient l'attention, mon visage séduisait. Et du point de vue du jeu j'avais tout pour plaire à la masse. Pas de fausses notes, tempi rapides. Pourtant ce n'était jamais un franc succès. Je ne faisais pas assez étalage de mes émotions. Aucun rictus, nulle extase factice ; un joli corps, certes, mais inexpressif. On me voyait trop froide. On me jugeait non pas à l'oreille, mais avec les yeux. La polyphonie, les nuances, les phrasés audacieux, tout cela ne comptait pas, ou si peu.

Miroslav ne m'a jamais forcée. Lui qui, la première fois, m'avait entendue jouer derrière un paravent, n'a eu de cesse de m'observer à mon clavier, des semaines durant. *Ne change rien à ta façon de jouer*, a-t-il fini par dire. *Cette froideur, nous en ferons ton mystère, et les gens paieront cher pour l'approcher.* Publicitaire, c'est un métier. Miroslav le pratique non sans un certain génie.

Mettez vos mains sous le menton, comme ça, et regardez l'objectif par en dessous avec un air un peu coquin, vous voulez bien ?... Je reste collée aux touches, magnétisée, comme la limaille de fer couchée sur l'aimant. Le clavier m'attire. J'ai envie de m'y allonger tout entière, de m'y enfouir. Et d'où vient ce ronronnement sourd ? De la panthère vautrée sur le couvercle noir ou bien de l'intérieur, de ma tête, de mon ventre, de ma poitrine ? Est-ce l'expression de mon angoisse, de ma colère, qui monte, qui monte à mesure que les déclics du Reflex se font de plus en plus pressants et les flashes aveuglants ? La sensation de l'ivoire sous ma peau est mon unique refuge. Il faut s'y retrancher sans cesse face aux agressions extérieures, depuis l'enfance, depuis toujours. La sensibilité des touches à la pression de mes doigts, le discret interstice entre un *mi* et un *fa*, la marche immense qu'il faut faire franchir à l'index pour atteindre un *do* dièse. L'ordonnancement du monde est à ce prix-là : une attention totale, le don de soi, à chaque mesure, à chaque note. Le moindre grain de poussière sous mon pouce devient caillou, rocher, montagne, Himalaya. Aussi comment ne pas s'agacer lorsqu'un tatoué vous met en joue dans la chaleur des projecteurs – clic, clic, clic, clic –, comment ne pas sortir un bref instant de sa réserve, de sa froideur, sous l'hystérique mitraille du boîtier pur plastique, dont la mémoire s'emplit de mon image, s'emplit de moi, me pille, me vole, me viole, jusqu'au ressassement, jusqu'à l'écœurement ? Je suis gonflée de notes et de colère. Que voulez-vous que j'en fasse ? Qui ose ici me réduire au silence ? Qui ose me résumer à ma simple apparence ? Vous l'aurez bien cherché, vous tous ici, et toi aussi la panthère noire, attachée à tes chaînes, réduite à l'esclavage contre un collier de strass et trois repas par jour ; il ne fallait pas me mettre un piano sous les doigts.

Le Yamaha est accordé ?... Le photographe sort un œil du viseur, éberlué. *Je vous demande pardon ?... Le piano, vous savez s'il est accordé ?... Qu'est-ce que ça peut foutre, on est là pour faire des photos, non ?...*

Je le fixe froidement, puis, sans crier gare, me lance dans une série d'octaves à toute berzingue, pédale *forte* au plancher, à en faire péter la caisse du pauvre instrument. Le gros chat narcissique est tiré en sursaut de sa contemplation, bondit jusqu'au plafond, couine à la manière d'un chaton, retombe lourdement sur le capot lisse, dérape à sa surface comme sur une patinoire, se casse la gueule par terre, renverse un projecteur, détale entre les jambes de l'assistante qui se met à hurler de peur, finit par se réfugier dans un coin du studio, à l'abri de la lumière, tous crocs dehors. J'achève ma course folle par un accord en *la* majeur.

80

Le photographe, la maquilleuse, la coiffeuse, la styliste, le dresseur. Jusqu'à Rani la panthère noire. Tous me fixent d'un air terrifié.

*
* *

Puis, un matin, David s'est manifesté ; à sa façon.

Je venais de rentrer de l'hôpital avec Claessens, c'était jour de thérapie. Là-bas j'avais fait part aux médecins de mon inquiétude quant à ses incohérences, de plus en plus fréquentes, de plus en plus prononcées. On m'avait parlé de surveillance étroite tout en me donnant les coordonnées d'infirmières à domicile censées soulager le malade autant que sa famille. Désormais, c'était une question de moyens ; nous n'en avons jamais manqué chez les Claessens.

J'ai mis mon père au lit puis je suis allée chercher le courrier. Des factures, des publicités ; depuis son hospitalisation, la boîte aux lettres s'était mise à charrier comme par enchantement des prospectus d'assurance décès. Aucun mot de compassion ou d'encouragement venu d'un ami, d'un collègue musicien, pas un ; à cet instant précis, Claessens jouait son ultime partition avec sa fille pour unique accompagnatrice, et je réalisais que mon père, tout directeur musical qu'il était, vivait depuis des années en homme seul dans son appartement des Tranchées.

Il y avait aussi une enveloppe matelassée dont l'adresse avait été écrite en capitales d'imprimerie, comme ces demandes de rançon dans les films de gangsters, expédiées par des ravisseurs à la mine patibulaire. Elle contenait une vieille cassette audio BASF, vierge de toute inscription à l'exception du mot

81

Murillo sur la tranche. Le cachet indiquait qu'elle avait été postée la veille depuis Sion.

Une fois remontée dans l'appartement, j'ai fouillé mes placards à la recherche de mon ancien radio-cassette, contrainte de repasser par chaque étape de mon adolescence ; chaque armoire, chaque tiroir ouverts ravivaient cet instinct de fuite qui m'habitait à l'époque et m'avait fait quitter Genève pour Paris sitôt le contrat avec Miroslav signé. Je mesurais le chemin parcouru durant ces années d'absence ; j'avais déserté les Tranchées simple musicienne, j'y revenais soliste internationale ; je comprenais aussi dans quelle terrible solitude j'avais laissé Claessens. J'avais été la dernière à partir, achevant, le jour de mon départ, la désagrégation de notre curieux quatuor, cette drôle de famille que mon père avait tenté de bâtir en parallèle de sa propre carrière.

Le lecteur à cassettes, je l'ai comme par hasard retrouvé sous le lit de David, cerné par les moutons de poussière. Je suis allée me fourrer sous le Steinway pour y écouter la bande envoyée par mon ermite de frère, et poursuivre ainsi le voyage qu'il m'imposait, à distance, sur les traces de notre enfance. C'était l'enregistrement d'une séance de travail, rue Murillo à Paris, où nous habitions avant que Claessens soit nommé à l'OSR. Je n'ai aucun souvenir de cet appartement. J'avais trois ans et demi quand nous avons déménagé en Suisse. Je sais simplement qu'il donnait sur le parc Monceau, et qu'il fallait remonter les rues de Lisbonne et de Madrid pour rejoindre le Conservatoire. C'est dans cet immuable aller-retour entre deux cages dorées, j'en suis sûre, que ma mère a commencé à s'emmurer.

La cassette que m'expédiait David datait d'avant

ma naissance. Je pouvais le deviner à la voix de Yaël, si solaire, et au jeu de mon père, très proche de ses derniers enregistrements, dont le legato ne souffrait pas encore de ces tendinites à répétition qui bientôt précipiteraient la fin de sa première carrière. Surtout, c'était l'entente entre le pianiste et la chanteuse, entre le mari et la femme qui transpirait de la prise de son. Yaël, malléable, docile, mais aussi inspirée, inventive, espiègle. Claessens, attentif et patient, amoureux comme jamais.

C'est un extrait de *Salomé*. Pendant un gros quart d'heure, ils retravaillent le même passage, revenant sur d'infimes détails d'interprétation, sculptant la partition avec un plaisir évident. Parfois un rire fuse. La soprano s'amuse. Au clavier, Claessens amplifie l'aspect dramatique de la scène, en fait des tonnes, use et abuse de la pédale *forte*. Encore des rires. Deux gosses, deux gosses comme jamais je n'ai eu l'occasion de les voir *en vrai*.

Puis tout à coup le silence. La bande continue de se dérouler dans le radiocassette ; les secondes passent ; je manque de l'arrêter, supposant la séance terminée, mais un bruit de talons m'en dissuade, un craquement de parquet, un gloussement étouffé, et je devine de suite. Bientôt le bruit des étoffes qu'on entrouvre et qu'on ôte. Deux souffles se mêlent, respirations à l'unisson. Un choc sourd, puis deux, contre la caisse du piano. Un gémissement, puis deux, puis une série entière tandis que le tempo s'accélère. Et pour finir, une main, un ventre, un cul, que sais-je encore, écrasant le clavier en un phénoménal et dissonant accord.

J'éjecte la cassette du lecteur, entre écœurement et culpabilité. À presque trente ans d'intervalle, je viens de surprendre mes parents, non pas tant à se prendre contre un piano, mais à se donner du plaisir. Que ce soit en musique ou en amour, la chose, pour moi, est nouvelle ; à croire que Claessens et Yaël ont bien été, à un moment donné, avant ma naissance, peut-être aussi avant celle de mon frère, deux êtres de feu et de chair, deux êtres vivants.

Je reste de longues minutes dans le silence du salon des Tranchées, cachée sous le Steinway ; c'est le même instrument sur lequel mes parents, à Paris, il y a longtemps, ont fait cet enregistrement.

Comment as-tu mis la main sur cette cassette ? Et pourquoi me l'as-tu envoyée, à moi, maintenant, pour seule réponse à mon mot déposé dans la fente d'un volet, à l'entrée de ton fichu bunker ?

Un bruit mat du côté de la chambre de mon père. Je me précipite, non sans me cogner la tête en sortant de sous le piano.

Claessens est tombé en voulant se rendre aux toilettes. Il s'est fait dessus aussi. Il est beaucoup trop lourd, je ne parviens pas à le relever. Je le fais glisser sur le carrelage de la salle de bains, lui ôte son pantalon de pyjama. Mon père s'énerve, se crispe, refuse de m'aider, ne comprend pas ce qui se passe.

Je ne vois son poing en mouvement qu'au tout dernier moment ; sur l'annulaire, le bref éclair de son alliance ; le coup me fait vaciller et je m'étale à mon tour sur le carrelage. Claessens se lance dans une bordée d'insultes, registre scatologique. J'essaie de recouvrer mes esprits, j'ai mal à la tempe ; j'y trouve un peu de sang lorsque j'y porte les doigts, sans que je puisse savoir si la plaie vient du poing de mon père ou du choc contre le piano tout à l'heure.

Claessens est pris de tremblements. Ses intestins se vident à toute vitesse. Le dos calé contre la douche, je le serre dans mes bras, aussi fort que mes muscles le permettent. Je tente de fredonner quelques notes rassurantes mais les sons restent coincés dans ma gorge. Il semble s'apaiser, cependant, revenir à lui tout doucement. J'attrape le téléphone dans ma poche. David, je t'en supplie, grand frère, viens à mon aide, je ne pourrai pas le soulever toute seule, je n'y arriverai jamais. *Bitte rufen Sie später an, der gewünschte Teilnehmer kann momentan nicht erreicht werden.*

Qu'est-ce qui se passe ? Qu'est-ce que c'est que cette histoire ? répète sans cesse mon père. Je me résous à appeler le 144. Les larmes coulent sur mes joues sans que je ne puisse rien y faire.

*

*   *

Hypothèse de départ, hypothèse de colère : tu n'existes qu'à travers ton conflit au père. Si l'on t'enlève cette colonne vertébrale, tu t'effondres comme une poupée de chiffon. Sans cette opposition frontale, consciente ou non, née d'une course enfantine sur la scène du Victoria Hall, tu n'es qu'un petit-bourgeois paumé, un gosse de riche foncièrement transparent.

Cette plaie, purulente depuis tant d'années, comme tu aimes la gratter, l'entretenir, la soigner pour mieux la rouvrir. Tu as beau jeu de te poser en victime de Claessens ; le grand rival, le père soi-disant castrateur, assoiffé de pouvoir, obsédé par l'astiquage de sa statue du Commandeur ; comme tu l'aimes, cette statue, comme tu la vénères ; tu as grandi dans son ombre, tu t'y es adossé si souvent, même si parfois tu as aussi pissé dessus ; toi, le Fils, prodige ou prodigue, à la fin on ne sait plus, tu t'es entiché de ton propre malheur. Il n'y a qu'à voir ce que tu nous as fait en finale à Bruxelles. Désormais, tu cultives ta singularité dans tes hauteurs valaisannes, supérieur, complaisant, méprisant. Et lorsque la statue finit par s'effondrer, rongée par la rouille, bouffée de l'intérieur, tu ne trouves rien d'autre à faire que de m'envoyer des petites cassettes du temps passé.

Tu me fais vomir, grand frère. Tu me laisses essuyer la merde. *Le cambouis de mon père*, comme disait l'infirmière.

Je sais, je t'entends d'ici. *Mais moi j'ai mon violon, c'est lui, petite sœur, c'est lui qui, depuis toujours, me tient debout, sur lequel j'ai tout construit, tout misé. Il faut être si fort pour le faire, il faut tellement de volonté pour rester pur...* Ah oui ? Alors pourquoi le gardes-tu pendu à un clou depuis tant d'années, tu peux me dire ? Pourquoi le laisses-tu prendre la poussière ?

Un de ces jours, crois-moi, je vais venir t'extraire de ton maudit bunker et te replonger dans la vraie vie. Je tirerai dessus au bazooka ou, mieux, je le bombarderai de mille Bösendorfer de concert, modèle Imperial, cinq cent cinquante kilos l'unité, que je larguerai depuis une escadrille d'hélicoptères. En touchant le sol, ils exploseront en milliards de notes incendiaires, creuseront des cratères, raseront ta forêt de conte de fées, détruiront ta montagne, attaqueront ta maison de béton armé ; à la fin, il ne restera plus que cendres et gravats, et tu seras bien obligé de sortir embrasser ta sœur.

Voilà qui est dit.

Pardonnez-moi, chers spectateurs, d'avoir trop cogné sur le clavier. Les mélomanes à l'oreille éduquée m'en tiendront certainement rigueur. *On ne martyrise pas ainsi un instrument de prix, à plus forte raison lors des funérailles de son père.* Mais voyez-vous, j'avais grandement besoin de me soulager. Pour l'instant la fureur s'est enfuie. Reprenons, si vous le voulez bien, le fil totalement décousu de ce récit.

*
* *

Parlons-en, justement, de la statue du Commandeur.

À Genève, Claessens se veut découvreur de talents. À mesure qu'il assoit son pouvoir au sein de l'OSR, il se bâtit une écurie d'artistes ; bien entendu, elles sont de préférence jeunes et jolies. Ainsi va le monde, ainsi va l'industrie du disque classique. La photogénie compte autant que la technique. On appelle cela *avoir de la personnalité.* Ce n'est pas moi qui cracherai dans la soupe. Miroslav joue de mon physique parfois jusqu'à l'obscénité. Il n'est pas le seul, je ne vous le fais pas dire. Moi-même, en interview, j'aime faire des mystères, travailler mes regards verts, jouer avec mon interlocuteur. Lorsque je rentre chez moi le soir, devant la glace, je peine à me démaquiller tant j'ai déjà passé la journée à me regarder minauder. Jusqu'à maintenant j'ai préservé l'instant du concert de ces insupportables contorsions. Pour combien de temps encore ?

Mais revenons à Claessens.

Très vite, mon père se complaît dans son rôle de mentor. Le chef d'orchestre – faut-il le rappeler ? –

87

n'est pas qu'un musicien. Il est aussi là pour sauver la planète. Ou tout au moins pour lui éviter de passer à côté de la prochaine Callas, celle qui, par la beauté de sa voix, raccommodera les plaies de ce monde à feu et à sang. Il écume donc les pouponnières à virtuoses que sont les conservatoires pour dénicher une Maria au berceau. C'est une question de réputation. Le chef a de l'oreille ; par conséquent il sait reconnaître le potentiel, déceler dans un morceau de cristal blond pisseux le diamant qui, une fois taillé par ses soins, deviendra le plus brillant joyau de sa couronne.

Je vous l'ai déjà dit, n'est-ce pas ? Claessens s'intéresse particulièrement aux cantatrices. Dans le lot sans fin d'échantillons testés puis rejetés, je pense spontanément à Stiina, Finlandaise à longues tresses dégotée Dieu sait où, qui pendant deux interminables saisons fera l'objet de toutes les attentions du maestro. La pauvresse ira jusqu'à déclarer dans la presse que Claessens lui fait office de second père. Et cependant la carrière de la blonde Valkyrie ne décollera jamais, pas plus que celle de ma mère.

Couche-t-il avec Stiina ? Couche-t-il avec les autres ? Pas moyen de le savoir. Mon père a le chic pour enrober sa mission sacrée d'une épaisse couche de mystère. Le moins que l'on puisse dire, c'est que les répétitions se terminent tard. Claessens découche de plus en plus. Et là je ne vous parle pas de ses concerts à l'étranger ; parfois il disparaît des jours entiers alors que nous le savons en Suisse. Il ne rentre aux Tranchées qu'au petit matin, la mine froissée par la fatigue mais encore plein, dit-il, de cette fraîcheur que lui apportent ses jeunes musiciennes. Elles ont toutes peu ou prou l'âge de Yaël lorsqu'il a fait sa connaissance en Israël. Et tandis que ma mère prend des rides et se mure dans le silence, Claessens joue les pygmalions pour mieux conjurer le temps qui passe.

Une fois sa réputation internationale acquise, il est aussi de bon ton que le chef s'investisse pour la paix dans le monde. Ainsi va-t-il jusqu'à financer et accueillir à Genève un orchestre formé de jeunes musiciens israéliens et palestiniens. C'est ce qui s'appelle l'ironie du sort. Tandis qu'il peaufine son statut de Nobel potentiel, Claessens délaisse sa femme, artiste lyrique formée à Tel-Aviv, vieillie avant l'heure, en panne de contrats, en panne de voix, en panne d'amour.

Et les enfants, me direz-vous ? Claessens s'en occupe aussi, rassurez-vous. Ainsi se fait-il nommer ambassadeur de l'Unicef, dont il soutient la collecte de fonds en donnant des concerts au profit de l'organisation. Bien entendu il ne manque jamais une occasion d'emmener ses musiciens jouer dans les écoles et les hôpitaux pédiatriques.

Il existe, en ce sens, un charmant reportage paru dans *L'Illustré* il y a une grosse quinzaine d'années ; longtemps, je l'ai gardé dans mes placards, avec le reportage de la télé israélienne, cette double page à la gloire du directeur musical de l'OSR. À gauche, il se trouve au milieu d'une classe de bambins, montrant à une tête blonde comment l'artiste se tient sur son podium ; perché sur l'estrade de la maîtresse, l'enfant imite l'impressionnant monsieur en costume trois-pièces, une règle en plexiglas en guise de baguette ; l'effet est des plus comiques, on ne sait trop lequel du gosse ou de l'adulte joue le plus au chef d'orchestre.

Page de droite, Claessens apparaît en famille, sur le canapé du salon, rue François-Le-Fort. Assis sur l'accoudoir, mon frère exhibe le Vuillaume conquis de haute lutte aux enchères de Vichy. Son regard se dissimule derrière un long rideau de boucles noires ; David, à l'époque, fait dans l'esthétique bobtail. Je suis la seule à sourire, douze ans à tout casser, coupe garçonne et taches de rousseur, déjà très forte pour faire comme si de rien n'était face à l'objectif du photographe. L'article s'intitule pompeusement : « Une vie au service de la musique ». Dans l'appartement autour, tout est rangé, clinquant, épousseté. On se dit que la bonne vient de passer l'aspirateur. On note les chaussettes rouges sous les revers de pantalon de mon père, assorties à sa cravate, et l'air absent de ma mère, genoux serrés, bas noirs et tailleur sombre, à ses côtés. De qui, de quoi porte-t-elle le deuil ? C'est l'une des dernières photos où elle apparaît encore. Bientôt elle s'évanouira des portraits officiels à la gloire de Claessens, disparaissant sous la surface lisse du lac de Genève. Et l'on ne trouvera plus trace d'elle nulle part, si ce n'est, pour ainsi dire, entre les lignes de notre histoire.

Qu'est-ce que Claessens cherche à cacher derrière le masque de la réussite ? Quel vide abyssal ? Quel manque obsessionnel ? Est-ce parce qu'il ne parvient pas à franchir ce dernier promontoire avant le Valhalla, à conquérir Berlin, New York ou Paris, faisant du Victoria Hall, au fil des ans, non plus une forteresse de prestige mais sa propre prison ? Ou bien est-ce autre chose ? Le directeur musical de l'OSR s'épuise en allers-retours entre ses deux personnages de prédilection, tantôt Don Giovanni, tantôt le Commandeur. Mais qui est-il vraiment ? Qui est vraiment mon père ?

À cette époque, il travaille sa gestuelle une heure par jour avec un comédien de théâtre. L'orchestre produit du son mais le chef, lui, n'est qu'une image muette. Il faut absolument la maîtriser pour conquérir les foules et poursuivre sa progression dans le gotha musical.

Claessens place l'OSR sur le marché de l'enregistrement de musiques de film. Il en devient l'un des spécialistes en Europe et fait beaucoup d'argent avec. Rencontre des réalisateurs, des producteurs et des vedettes. L'image encore, l'image toujours.

En 1965, Leni Riefenstahl donne une interview à la télévision américaine. Dans un anglais tartiné d'accent allemand à couper au couteau, elle réaffirme l'absence de toute influence, de toute intention politique dans son documentaire *Le Triomphe de la volonté*. « C'était ma condition, je l'avais dit à Hitler : *J'ignore si ce monsieur-ci est quelqu'un d'important, ou si cette dame-là est quelqu'un d'important, je n'en ai pas la moindre idée. Si je tourne ce film, je le fais uniquement pour les images, pour l'intérêt du montage et des mouvements de caméra.* Et Hitler m'a répondu : *C'est exactement ce que je souhaite ; les films compliqués qui racontent tout un tas de choses ne m'intéressent pas, ils sont beaucoup trop...* » La réalisatrice cherche soudain ses mots. « Comment dit-on, déjà ?... *Langweilig...* » Le journaliste de CBS se risque à traduire : « Assommant ? » Sourire radieux sur le visage de Riefenstahl : « C'est ça ! »

*
* *

Personne à la sortie de l'école.

Nous sommes un vendredi après-midi – je dois avoir huit ou neuf ans. D'habitude Josefa m'attend à la sortie. Josefa, c'est la nanny. Souvent, avant de rentrer rue François-Le-Fort, nous passons à la Migros y acheter un goûter et de quoi préparer le souper. Mais ce vendredi-là Josefa n'est pas là : ce matin elle a prévenu Yaël. Son fils est malade. Elle rattrapera sa journée plus tard. C'est ma mère qui viendra me chercher.

Sur le trottoir, devant l'école, j'attends, long-temps, seule, mais Yaël ne vient pas.

Je connais le chemin de la maison par cœur. Je passe à Plainpalais acheter un croissant fourré. À la caisse, je constate que je n'ai pas d'argent. Si j'avais été violoniste, j'aurais pu sortir mon instrument devant le magasin et gagner de quoi payer mon goûter. Mais je suis une petite pianiste, alors je ressors le ventre vide.

Je longe la plaine. Le trafic se densifie sur l'avenue et la nuit commence à tomber. Dans mon souvenir, Noël n'est pas loin. Le week-end s'annonce. Les courses, les cadeaux. David et moi nous travaillerons notre violon et notre piano. Au bout du grand losange se dresse la silhouette anguleuse du Victoria Hall. Mon père doit être là. Ce soir il n'y a pas de concert. Il sera sûrement en répétition ou dans son bureau de directeur. Il me donnera quelques francs, lui, pour acheter mon croissant.

Je connais toutes les entrées du Victoria Hall, là-bas ma tignasse rousse fait office de laissez-passer. Pourtant, je les ignore une à une. À quelques minutes de là, il y a la grande synagogue Beth Yaacov. Vendredi soir, c'est le début du shabbat. Ma mère y sera, j'en suis sûre. Peut-être y aura-t-elle encore emmené mon frère.

Depuis trois mois, Yaël ne manque pas un office. Depuis trois mois elle a retrouvé une foi, ses rites, ses superstitions, ceux qu'on lui a inculqués dans son enfance avant que la musique ne conquière toute la place. Elle s'est souvenue de sa judéité comme d'un talisman oublié dans une poche, et que l'on finit par triturer à longueur de journée, d'un geste obsessionnel. Claessens ne comprend pas ce qui se passe. Pourquoi sa femme chavire-t-elle ainsi dans cette contemplation mystique qui la tire en arrière, avant le mariage, avant l'Europe, avant la musique ?

De plus en plus souvent elle traîne David à Beth Yaacov. Là-bas le rabbin l'a repérée. Qui est cette élégante au regard vide, aux attitudes bizarres ? Souvent elle refuse de sortir.

Je suis devant la synagogue. Il fait nuit noire. À l'intérieur, l'office a commencé. Est-ce que mon frère est avec elle ? M'obligera-t-elle, moi aussi, à rester pour la prière du vendredi soir ?

Je finis par renoncer, fais demi-tour et rejoins Victoria Hall. C'est là que se joue ma partition, mon avenir. C'est là aussi qu'est mon goûter, mon croissant fourré.

Dans un studio de répétition en marge de la grande salle, je trouve mon père en compagnie de Stiina, sa protégée finlandaise. Une grande bouche rouge, des tresses blondes et des baskets fluo. Soprano elle aussi. Calée dans le creux du piano à queue, là où se tenait ma mère du temps où elle chantait encore.

Le maître et l'élève s'interrompent en me voyant

93

entrer. J'ai laissé la porte ouverte. *Qu'est-ce qui t'arrive, rouquine ?... Je n'ai pas de sous pour mon croissant Cailler... Maman ne t'en a pas donné en venant te chercher ?... Maman n'est pas venue me chercher.*

Claessens plonge la main dans sa poche, en sort une pièce de cinq francs, se ravise, puis tire son portefeuille et me tend un billet de cent. *Je t'appelle un taxi pour rentrer.*

Je chouine. Je préfère rentrer à la maison à pied ; par les Bastions c'est à moins d'un quart d'heure. Sur le chemin je m'arrêterai à la Coop acheter mon goûter.

Soudain, la blonde aux baskets fluo pâlit, et de son accent chantant : *Maestro ? Il me semble que votre femme vient de passer... Ma femme ? Où ça ?... Là-bas, par l'ouverture. En direction de la grande scène. Avec votre fils, je crois...*

David est là, alors ? David est là avec ma mère ? L'office doit être fini à Beth Yaacov ! J'esquisse un pas. Claessens me retient. Sa main si ferme, *forte*, peut-être même *fortissimo*, sur mon poignet de petite fille. Il m'assoit au piano. Attrape une partition. *Je reviens bientôt, je reviens tout à l'heure, rouquine. Déchiffre-moi le premier morceau. À mon retour nous le jouerons ensemble, tu veux ?*

La Finlandaise et moi nous retrouvons à nous regarder en chiens de faïence. Elle est si jeune avec son air si gêné. Son pied droit écrase le gauche. Je joue un accord. *J'ai l'impression que votre répétition est terminée. Alors, si vous n'avez plus besoin du piano...* Je la libère, la soprano ; moi la rouquine, huit ou neuf ans à tout casser, je libère la bouche

94

rouge d'un regard de glace ; je les maîtrise déjà, mes regards, autant qu'une sonate de Mozart.

Elle ramasse ses paperasses entassées. Des notes, des notes dans tous les sens. Oh, la bonne écolière ! Ses baskets fluo se dirigent vers la sortie, couinent à chaque pas sur le parquet ciré. Je les entends s'arrêter, hésiter. Devant le seuil, Stiina ressasse son humiliation. Pour être musicienne professionnelle, embrasser une carrière, il faut de la fierté, du caractère. Je l'entends, à l'autre bout du studio, gonfler d'air ses poumons : *Alors ta mère est encore venue foutre le bazar ?*

La porte claque.

Impassible et dévastée, j'ouvre la partition que m'a confiée mon père, comme si de rien n'était. Treize courtes pièces d'une minute en moyenne, certaines plus ardues que d'autres. Rien qui ne puisse résister à mon désir de petite fille de satisfaire Claessens. Ce sont les *Scènes d'enfants* de Schumann.

Vous êtes au courant, j'ai toujours eu du mal à mémoriser les morceaux ; en revanche, le déchiffrage ne m'a jamais posé de problème. J'ai appris à lire les notes avant les lettres. L'œil galope d'une mesure à l'autre et les doigts courent sur les touches. Entre les deux, un simple lien organique, une évidence.

J'effleure le clavier.

C'est alors que résonne la voix de ma mère, en provenance de la salle voisine, la grande salle de concert. Je la situe à l'oreille, au mètre près. Elle a escaladé la scène, a planté ses deux talons aiguilles en plein centre du plateau, face aux fauteuils vides. Elle s'essaie à chanter.

J'expédie *Gens et pays étrangers* et passe à *Drôle d'histoire*. De *Drôle d'histoire* je passe à *Colin-mail-*

95

lard. Mes mains s'agitent sur le clavier, toujours très rapprochées. Dans les silences, les interstices, quand mon piano se tait, s'insinue le cri de ma mère. Alors je joue pour la faire taire. Et pour que cesse sa douleur.

L'enfant supplie, la quatrième pièce des *Kinderszenen*. Le chant se fait hurlement. Arrête, maman, arrête, je t'en supplie. Ta voix, que j'aimais tant, ta si belle voix toute de lumière, tu vas la casser à force de crier. Elle va éclater en mille morceaux sur la scène du Victoria Hall. Et personne ne pourra la recoller. Personne. Ni toi ni ton mari. Pas même ton fils. Pas même ta fille.

Bonheur parfait. Est-ce que mon frère est là ? *Un événement important*. Voit-il son père rejoindre sa mère pour essayer de la faire taire ? *Rêverie. Au coin du feu. Cavalier sur cheval de bois*. Est-ce la fin de l'enfance ? Déjà ? Claessens saisit Yaël par les poignets, *fortississimo*. Il n'y a qu'un chef pour déclencher un tel effet d'orchestre. Demain elle aura des marques bleues aux avant-bras. Est-ce que David assiste à tout cela ? *Tais-toi ! Tais-toi ! Vas-tu te taire ?* hurle mon père. *Presque trop sérieux. Croquemitaine*. Dixième, onzième morceau des *Kinderszenen*. Je continue à déchiffrer, la partition est ma bouée. Je ne coulerai pas. Je domine le temps qui passe. Je travaille mon piano tandis que dans la grande salle de concert vide, ils se déchirent, se défient, se cassent la vie et la voix sous les yeux et les oreilles de leur fils. J'y mets de l'ordre avec mes mains, du sentiment et des nuances. Mon visage, lui, reste impassible, à jamais.

L'accalmie, après une ultime note suraiguë, sans que je puisse savoir si c'est la voix de Yaël qui a lâché, ou si c'est Claessens qui, d'une façon ou d'une autre, l'a bâillonnée. *L'enfant s'endort.* Entre les interstices de mes silences ne filtrent plus que des murmures. Bruits de pas étouffés. On fait très discrètement descendre la soprano. Elle ne remontera plus jamais sur une scène, chacun en est conscient.

Le poète parle. Treizième et dernière pièce des *Kinderszenen.* Je referme la partition. Il est tard ; je suis enfermée à l'intérieur de l'immense boîte à chaussures. *Je reviens bientôt,* a dit mon père. *Je reviens tout à l'heure.* Le silence est total et je n'ose plus poser mes mains sur le clavier. *J'ai déchiffré le livret tout entier, qu'est-ce que je fais maintenant ?*

Le temps passe.

Où ont-ils emmené ma mère ?

Le silence est terrifiant.

Au commissariat de police ? À l'hôpital ? Peut-être l'ont-ils ramenée rue François-Le-Fort ?

Le temps passe encore.

Je suis enchaînée à mon piano de répétition.

J'ai huit ans. Peut-être neuf. Je viens de déchiffrer *Scènes d'enfants* de Schumann. Plus rien ne sera jamais comme avant.

Des bruits dans le couloir.

Qui est-ce ?

Le temps est-il enfin passé ?

Il est revenu me chercher, n'est-ce pas ? Il est revenu, mon papa ?

On ouvre la porte du studio. Une dame en blouse bleu clair tire un aspirateur. *Mais qu'est-ce que tu fais là, toi ? Je te reconnais, tu es la petite Claessens. Qu'est-ce qu'il fait, ton papa ? Il ne t'a pas oubliée, tout de même ? Ah, ces artistes ! Tu dois mourir de faim. Viens, ma chérie, ne pleure pas, je t'assure, ça*

97

ne sert à rien. Les hommes, tu sais, ils sont comme ça. Toi et moi on va descendre à la cuisine, je te ferai chauffer un chocolat.

*
* *

Pourquoi est-ce à cet instant que je pense ? Pourquoi maintenant, à cet instant précis ? Je revois Claessens à Bruxelles. Nous sommes peut-être à une demi-heure de la finale. *La finale de David.* Le Palais des Beaux-Arts commence à se remplir. Mon père est là, dans la salle. Frac sur mesure, comme toujours impeccable. Chaussures vernies. Raie sur le côté. Sourire de circonstance. Léger fond de teint pour ne pas briller dans la lumière des projecteurs. J'assiste à tout cela, j'en suis la spectatrice éberluée, dans ma main un ticket numéroté.

Dans une demi-heure il dirigera l'Orchestre national de Belgique en tant que chef invité. C'est ainsi que les choses se sont goupillées. Il dirigera son propre fils en finale du Reine Élisabeth.

En attendant, il s'est lancé dans une tournée sans fin, de rangée en rangée, saluant chaque visage connu et parfois même inconnu. Il serre des mains. Il serre des mains. Il serre des mains. Il serre des mains.

Et pendant ce temps David s'échauffe seul en coulisses.

*
* *

Dans le monde de la musique classique, il y a ceux qu'on appelle *les connaisseurs*. Si l'on veut faire carrière, il est indispensable de les caresser

98

dans le sens du poil. Ce sont eux qui décident du sort des solistes en déterminant ce qui relève du bon et du mauvais goût. Cet *establishment* composé d'une poignée de journalistes, d'agents, de dirigeants de maison de disques, de musiciens et de professeurs, auxquels viennent s'ajouter quelques riches mélomanes, se choisit ses champions, les porte aux nues, leur fournit soutien inconditionnel et parfois financier à chaque étape de leur progression. En échange, il faut filer doux, flatter, remercier, faire des courbettes, surtout ne pas sortir des clous.

Qu'un artiste décide de suivre une ligne différente, orienter sa recherche dans une autre direction sans en demander la permission à ces gardiens du temple, et c'est la profession entière qui, comme un seul homme, lui tourne le dos. La pire des punitions n'est jamais la critique, même acerbe, mais l'oubli. Lorsque le téléphone cesse de sonner. Lorsque le musicien passe de mode. Son carnet de bal se vide pour ainsi dire du jour au lendemain. D'autres, plus jeunes, plus photogéniques, jugés plus talentueux ou plus singuliers, se bousculent pour signer les contrats à sa place. La traversée du désert commence.

Le plus sage est de se ménager un créneau et n'en plus bouger. Entendons-nous bien : tous, au niveau où nous sommes, nous affichons une technique en béton. La différence ne se fait plus tant au niveau du talent, mais dans notre capacité d'attirer l'attention. Il faut faire preuve d'une originalité bien calculée. Ni trop ni pas assez. Le détail physique ou vestimentaire qui change tout, qui rend populaire, qui fait acheter des disques. Bien entendu les femmes sont condamnées à afficher une beauté ravageuse, sinon ce n'est pas même la peine de mettre un pied sur scène. Et en même temps vous trouverez toujours quelqu'un parmi la meute des *connaisseurs* pour vous dézinguer en coulisses, précisément parce que vous êtes trop belle pour être une véritable artiste. Allez comprendre.

Il est aussi recommandé de prêter son nom à une grande cause humanitaire. N'en déplaise à Miroslav, la cause animale est un peu dépassée de nos jours. Les enfants décharnés ou trisomiques, ça marche toujours, mais rien ne vaut la lutte contre le réchauffement climatique, la défense des glaciers, des icebergs au pôle Nord.

Moi je m'en tiens à ces deux marques de fabrique : ma tignasse rousse et ma froideur légendaire, qui n'empêche pas d'ailleurs, de temps à autre, un regard de braise en direction des spectateurs ; pour le moment j'occupe seule le créneau, hormis une ou deux Russes soi-disant incendiaires, pâles copies d'Ariane Claessens, y compris du point de vue capillaire.

Et puis, bien sûr, il y a le rapport au public. En d'autres termes, la capacité à susciter non pas la sympathie mais l'admiration extatique. Il faut trouver la juste distance. Lui donner l'impression qu'il est en train d'assister à un moment unique dans l'histoire de la musique, une espèce de striptease à la fois audacieux et pudique. De cela dépend votre salaire d'applaudissements à la fin du concert.

Un jour on créera une classe de charisme dans tous les conservatoires de France et de Navarre. Et dans le plus grand d'entre tous, à Paris, c'est à moi qu'on attribuera la chaire de professeur.

David, lui, a toujours fait le contraire, régulier

et méthodique dans son acharnement à détruire, à étouffer dans l'œuf toute relation avec les gens venus le voir. Lorsqu'il entrait en scène, invariablement mal fagoté, sans un regard pour la salle, évidemment sans saluer, il filait se placer vingt centimètres derrière la croix blanche marquant au sol l'emplacement du soliste. Cette petite croix, il la fixait le temps du concert, n'accordant qu'un coup d'œil expéditif au chef, lorsque cela s'avérait absolument nécessaire, comme une aumône consentie au monde extérieur.

Alors pourquoi – ils sont nombreux dans le milieu à s'être posé la question en le voyant débarquer au Palais des Beaux-Arts, venu de nulle part –, pourquoi, malgré cette attitude distante, quasi autistique, malgré cette silhouette dégingandée qui n'avait rien d'harmonieux, que l'on pouvait même trouver laide à certains égards, pourquoi, en dépit de cette volonté manifeste de tenir à distance respectable la salle tout entière, pourquoi le public de Bruxelles s'est-il trouvé comme instantanément suspendu à son archet sitôt la première note sortie de son violon ?

*
*   *

Laissez-moi vous parler du premier concerto pour violon de Chostakovitch. Pour rappel, c'est sa partie orchestrale, ou tout du moins sa réduction, que je suis en train de vous jouer, malgré les yeux au ciel et les grimaces outrées des quelques *connaisseurs* présents dans la salle, ou plutôt dans l'église. Le temps d'un enterrement, je fais office d'orchestre symphonique, et tant pis pour les esprits chagrins, il faudra se contenter des mains d'Ariane Claessens en guise de flûtes, de piccolo et de hautbois. Les clarinettes et la clarinette basse, c'est moi qui les remplace. Idem pour les bassons, cors, tubas et percussions. Les deux harpes, le célesta et le régiment de cordes, devinez quoi, c'est encore moi.

Vous l'avez entendu déjà, tout commence par un *Nocturne* noir et cataleptique. Décidément l'ambiance sied bien à un mort, en l'occurrence mon père, mais aussi à une absence, celle de mon frère. David Oïstrakh, qui créa le concerto à Leningrad en 1955, disait de ce premier mouvement qu'il exprimait l'absence totale de sentiments. Il y a un terme clinique, l'*alexithymie*, pour désigner l'impossibilité d'exprimer ses émotions. Dans la famille Claessens, finalement, il n'y aura eu que ma mère à ne pas être atteinte d'alexithymie, et l'on sait comment tout cela a fini.

Mais revenons à l'*Opus 77*. Le *Nocturne* est le seul des quatre mouvements à user d'instruments fantasmagoriques, harpes, tam-tam, célesta. Le soliste traverse ce paysage de mort et de désolation en ruminant la même mélodie obsessionnelle. C'est une quête sans espoir, l'histoire d'une âme errante armée d'un petit violon pour unique compagnon.

Et tout à coup, voici que surgit le démon dans le second mouvement. Le début du *Scherzo*, joué *allegro*, frappe par son apparence désordonnée, hystérique, comme si les vents et les violons s'étaient lancés dans une compétition : c'est à celui qui fera le plus de bastringue ; dans cette tempête insensée, le violon solo se retrouve ballotté comme un fétu et doit lutter pour sa survie en faisant le clown, en se donnant en spectacle, en sautillant dans tous les sens. D'autant qu'à mi-parcours une nouvelle mélodie fait irruption, tirée du folklore juif, que Chostakovitch décrit lui-même comme exprimant *une joie forcée*. Mais encore, maestro ? *Une danse à travers les larmes*, dit-il encore. Cette fois on ne saurait être plus clair. Le violon se bat pour sauver sa peau. C'est *L'homme qui rit* de Victor Hugo, un sourire sanguinolent lui balafre les joues, taillé au couteau. Il engage le combat contre les bois, avant de voir l'orchestre fondre sur lui. Le *Scherzo* s'achève en un féroce corps à corps, un contre tous, dont tous les adversaires sortent lessivés.

Pourtant le cœur de l'œuvre est encore à venir. La *Passacaille*, intégrant l'immense *Cadence*, ressasse le même thème, encore et encore, joué par les basses, jusqu'à l'écœurement, tandis que le violon tente désespérément d'y échapper en proposant des variations mélancoliques. Mais sans cesse les basses ressurgissent, même pompe, même autorité, jamais ne relâchent leur surveillance, ramenant le soliste dans le rang, une fois, deux fois, jusqu'à neuf fois d'affilée.

Le violon, vaincu, épuisé, est laissé seul à macérer. D'abord il bouge à peine. Il ne peut que reprendre timidement le thème intimé par les basses. Cette fois c'est bien fini pour lui, c'est du moins ce qu'il laisse à penser. Or la vie revient progressivement, sans que l'on sache quel fol espoir la lui a insufflée. Le violon solo finit par se relever, dégoulinant, hagard, et fixe l'orchestre faisant office de bourreau bien en face. Et pendant les cinq interminables minutes que dure la *Cadence*, il va se ruer à l'assaut, percutant la glace froide et transparente du silence, la couvrant de son sang, choc après choc, tentative après tentative,

103

jusqu'à sombrer dans la folie de celui qui n'a pas d'autre porte de sortie.

Alors l'orchestre n'a plus qu'à le cueillir, à ramasser les morceaux. Pourtant le petit instrument refuse de se laisser broyer. Il préfère le sarcasme à la mort, reprenant le thème principal du *Nocturne*, mais accéléré, ajusté jusqu'aux frontières extrêmes de la tonalité pour en faire voir toute l'absurdité. *Burlesque*, c'est le nom du quatrième et dernier mouvement. L'autorité de la *Passacaille* est aussi parodiée. Le violon solo saute sur les bois et les cors, il leur danse sur le ventre à tous et multiplie les bras d'honneur. Le tempo s'accélère d'*allegro* à *presto*. Les motifs s'enchaînent, plus déments les uns que les autres. Comme par miracle, les autres instruments semblent contaminés par cette frénésie. Le violon atteint les limites les plus hautes de son registre. Il s'envole, s'évade à jamais dans son monde intérieur, sans que la conclusion emphatique de l'orchestre – *tagada-pom-pom* – parvienne à le rabattre au sol.

Un pareil concerto se prépare longtemps à l'avance ; c'est un effort démesuré ; la partition comporte très peu de temps de pause pour le soliste. Il faut être prêt, physiquement et mentalement.

*Pour jouer l'*Opus 77, *il faut avoir été tout au fond, et y être resté un moment.* C'est ce que le vieil Arménien disait toujours.

*
* *

Krikorian disait aussi : *Ce n'est pas le temps qu'on met pour arriver au sommet qui compte, mais le temps qu'on est capable d'y rester.* De nos jours ce n'est guère un discours à la mode dans le microcosme musical, je peux vous le garantir.

À dix-sept ans, mon frère n'a rien d'un *Wunderkind*. Pour dire les choses franchement, il est déjà beaucoup trop vieux pour le devenir un jour. Bien sûr, il a cette mémoire d'ordinateur qui plaide en sa faveur, ce petit côté singe savant qui, systématiquement, se passe de partition. Tous les enfants prodiges ont une mémoire exceptionnelle. C'est le minimum syndical.

Question technique, David compte aussi parmi les meilleurs. À Genève, au Conservatoire, ils sont peut-être deux ou trois à vaguement rivaliser sur les pièces virtuoses, Paganini ou Ysaÿe, celles par lesquelles on débute un récital, histoire de clouer d'emblée le spectateur à son fauteuil, ou bien qu'on place à la fin, pour les rappels, afin de montrer que la bête est loin d'être épuisée, qu'elle pourrait aisément repartir pour un tour.

Et puis David a son joli violon, celui que Claessens lui a payé aux enchères de Vichy. Tout musicien avec une once d'ambition doit pouvoir se targuer de jouer un instrument remarquable. C'est d'ailleurs l'une des premières questions, l'une des questions fondamentales qu'il faut poser à un soliste international. *Quel violon jouez-vous ?* Il est du meilleur effet de donner le nom d'un luthier légendaire, de préférence italien, agrémenté d'une date, idéalement entre 1700 et 1800. Si l'instrument vous a été prêté par une prestigieuse fondation financée par une multinationale, c'est encore mieux, cela signifie que vous avez été choisi parmi des candidats triés sur le volet pour jouer un morceau de bois valant plus d'un million de dollars. Voilà la règle du jeu.

Le violoniste et son violon sont censés ne faire qu'un, et le prestige de l'un déteint assurément sur l'autre. À tel point que l'on se demande parfois si ce n'est pas l'instrument qui fait le champion.

Certes, le Vuillaume de mon frère n'a pas le prestige d'un Strad ou d'un Guarnerius, mais c'est un instrument suffisamment brillant, y compris par son prix d'adjudication, pour attirer l'attention et prétendre à une carrière internationale.

Mais alors pourquoi David, à cet âge où tout se joue, n'a-t-il pas encore été repéré par le marché ? C'est qu'il lui manque, comprenez-vous, cette caractéristique essentielle à tout bon enfant prodige : la maturité précoce. C'est tout le paradoxe de cette espèce de course à l'échalote. À dix-sept ans on vous demande de jouer Mozart avec la fraîcheur d'un enfant et la roublardise d'un vieux maître en fin de parcours. Impossible grand écart, auquel certains, pourtant, les fameux *Wunderkinder*, se plient avec une apparente facilité sans que personne se demande par quels chemins, sombres ou lumineux, sont passés ces enfants vieillis avant l'âge. À ceux-là, les maisons de disques, les chefs d'orchestre et les agents font les yeux doux. Toujours cette obsession de dénicher le prodige au berceau, afin de mieux le façonner aux exigences de l'industrie.

Est-ce que Claessens s'inquiète du retard relatif pris par son fils ? Nourrit-il une quelconque ambition à son égard ? Difficile à dire. En famille, les discussions au sujet de la carrière sont rares ; à la maison, mon père brille surtout par ses absences. Lorsqu'il est là, nous passons, David et moi, ces espèces d'auditions où revient invariablement la même injonction : *Recommence !* Pourtant l'achat du Vuillaume semble aller dans ce sens. Claessens a le désir de pousser son fils jusqu'au bord extrême de la planche. *Nous verrons bien ensuite s'il a la force de sauter dans la fosse.*

Un après-midi, au Conservatoire, David et moi sommes en train de travailler une sonate de Beethoven. Claessens entre dans la salle, sourire en coin, serre la main du professeur. *Mon Russe s'est désisté. Soi-disant qu'il a le dos bloqué et que les piqûres n'y changent rien. En bas tout le monde s'agite pour lui trouver un remplaçant... Un remplaçant?... Le concerto, fils. Je leur ai dit, au Victoria Hall, que je pensais à toi. Tu l'as déjà travaillé, n'est-ce pas?... Mais le concert est dans combien de temps, papa?... Cinq jours. Si tu l'as déjà travaillé, alors tu as large-ment le temps. Ariane t'aidera, n'est-ce pas?* Le pro-fesseur, un léger tremblement dans la voix, confirme. Ce concerto-là, David l'a déjà dans la tête, à défaut de l'avoir dans les doigts. Mon frère, le Vuillaume entre ses bras, fixe encore ses chaussures, comme à Vichy le matin des enchères.

Lorsqu'un soliste débarque dans une ville pour y donner un concerto, le temps de répétition lui est toujours chichement compté. Un service d'une heure trente, la générale, et puis c'est tout. Pas le temps d'atermoyer. Quand tout se passe bien avec le chef, c'est suffisant. Un peu juste, mais suffisant. Quand chef et soliste diffèrent dans leur vision de l'œuvre, les choses peuvent se compliquer sérieusement. Et quand l'orchestre donne en plus du fil à retordre à son directeur musical, alors la soirée peut virer au calvaire. Tout cela, évidemment, en supposant au préalable que le musicien se présente face à la meute en maîtrisant à la perfection l'œuvre au programme.

Dix-sept ans. Dans cinq jours le grand bain.

Ariane t'aidera, n'est-ce pas ? C'est cette phrase qui m'inquiète le plus. Cinq jours, c'est très peu pour un novice. Le défi est énorme, quasiment impossible, mais il peut être relevé, à une seule condition : s'assurer la complicité du chef et avoir du temps pour travailler avec l'orchestre.

Ariane t'aidera, n'est-ce pas ? Oui, j'aiderai mon frère. Le professeur aussi l'assistera. Ensemble nous préparerons ce concerto pour ainsi dire jour et nuit. Nous en ferons des cauchemars, dormant par tranches de deux ou trois heures sur un mauvais matelas du Conservatoire – David refuse obstinément de retourner dormir rue François-Le-Fort –, frère et sœur enlacés sous une couverture tandis que le professeur est rentré chez lui prendre une douche et un café avant de travailler encore.

J'accompagne mon frère au piano, du haut de mes quinze ans ; ensemble nous répétons le concerto. Claessens, lui, s'est éclipsé. Quatre jours durant, il se tient soigneusement éloigné de son fils.

Nous ne le revoyons que la veille du concert. Le chef a consenti à une répétition extraordinaire. Tout l'OSR est là, bien sûr, bienveillant mais aussi tendu. Ce jeune soliste aux boucles noires, ils le connaissent bien, ils l'ont vu galoper tout minot sur la scène du Victoria Hall, choisir son instrument, et d'une certaine manière défier son père. Mais demain ce sera le grand soir. Si la salle est pleine, le concerto se jouera devant quinze cents spectateurs. Il faudra tenir ses nerfs. Être attentif face à l'inexpérience de ce soliste encore élève au Conservatoire. C'est un drôle de pari que lance Claessens. Tout le monde y engage sa réputation, et l'on ne saurait dire qui prend le plus gros risque entre le chef et le violoniste.

Je suis assise sur une mer de sièges vides, hagarde de fatigue. Les curieux ont été refoulés aux portes de la salle. La répétition aura lieu à huis clos, ordre du directeur musical. Pour le moment, l'orchestre s'accorde. Claessens sur son podium, partition fermée, comme à son habitude. David, jean, baskets et tee-shirt noir ; je n'ose imaginer l'état de mon frère. Demain, pour le concert, il faudra s'attifer d'un habit, marcher sur scène dans des chaussures vernies qui feront mal aux pieds. Pour le moment ne pas y penser. Se concentrer sur l'instant. Surtout ne pas rater son entrée.

Claessens rappelle brièvement le tempo. Lance la meute. Violoncelles et contrebasses pour commencer. Cinquième mesure, c'est là qu'est supposé entrer le violon solo.

Mais le Vuillaume demeure muet.

David fixe la petite croix blanche.

Claessens fait signe à son orchestre, silence.

Aucune importance, fils. Reprenons.

Violoncelles, contrebasses.

Cinquième mesure.

Le Vuillaume se tait encore.

Eh bien alors, qu'est-ce qui se passe ? Tu as besoin de la partition ?

Il la lui tend. David regarde la croix entre ses pieds, paralysé.

On recommence.

Violoncelles.

Contrebasses.

Silence.

109

Toussotements, gênés ou ironiques, parmi les cordes.

Dans la salle, cinquième rang, plein centre, larmes d'Ariane Claessens.

Le lendemain soir, c'est une Anglaise de quatorze ans qui joue. Le Victoria Hall, plein à craquer, lui fait un véritable triomphe.

Après le concert, devant la presse, Claessens insiste, en fait des tonnes. La performance est rarissime. Se rendre disponible en moins de vingt-quatre heures à cause du désistement du soliste russe. Jouer, à son âge, avec un tel aplomb, un tel degré de sécurité. Sans compter son éblouissant sourire, ses boucles blondes, son ineffable grâce. Bref, sa carrière est lancée.

Un peu plus tard, autour d'un verre, l'adolescente, qui joue comme une déesse mais n'a pas l'habitude du champagne, un peu pompette, avoue qu'elle a eu peur quand Claessens l'a appelée il y a cinq jours. Peur de ne pas être à la hauteur, bien sûr. Et finalement ce n'était pas si sorcier. Le maestro a su la mettre en confiance. *Confidence. That's what makes the whole difference, isn't it ?*

Aux yeux du monde musical, tout le monde s'en sort, ou presque. L'incident de la veille est passé totalement inaperçu. Aucun accroc à la réputation de mon père, pas plus qu'à celle de l'OSR. En privé, il fera toujours allusion à cette répétition ratée de mon frère comme à un *accident industriel*.

David, lui, a plongé dans la nuit. Elle durera plus d'une année.

J'ai oublié de vous dire quel était ce fameux concerto, celui qui avait bloqué le dos du grand violoniste russe.

Mais est-ce vraiment nécessaire ?
Vous ne vous en doutez pas déjà ?
Alors voici : Chostakovitch, *Opus 77*.

Passacaille

Le virtuose, surtout le virtuose mondial, ne doit avoir peur de rien.

Thomas Bernhard, *Le Naufragé*

La première fois que je l'ai vu, je l'ai pris ni plus ni moins pour le concierge, ou l'homme de ménage. C'était quelques mois déjà après *l'accident industriel* du Victoria Hall ; comme poussé par le diable en personne, David s'était fait violence, avait changé de conservatoire, quitté Genève pour Lausanne, loué une chambre là-bas ; la soixantaine de kilomètres séparant les deux villes avait valeur d'exil, d'expédition à l'autre bout du monde, en Papouasie, en Alaska, en territoire hostile. Pour mon frère c'était un pas de géant. Sortir de ses habitudes. Se retrouver dans une nouvelle classe, face à une nouvelle concurrence. Changer de professeur. Personne ne l'y avait obligé, c'était sa décision à lui. Il l'avait prise en silence, je veux dire, sans en parler à personne. Pas même à moi, sa sœur.

David m'avait donné rendez-vous rue de la Grotte, dans le hall principal. À l'heure dite, c'est un petit papy vêtu d'un chandail à losanges sous une blouse grisâtre, au visage parcheminé, aux lunettes épaisses, qui descend me chercher. À sa ceinture, pendue à un mousqueton, une guirlande de clés. Il me serre la main en m'observant derrière un sourire

115

bienveillant. *Votre frère vous attend.* Nous empruntons le grand escalier central. Puis, très vite, un autre, plus modeste. Un vrai dédale tournicotant. J'ai l'impression qu'il m'emmène dans une section du bâtiment assez peu fréquentée. Autour de nous les élèves se font rares, puis s'évanouissent tout à fait à mesure de notre ascension.

Le vieillard grimpe avec méthode et lenteur, marche après marche, tempo régulier, *lento*, voire *lentissimo*, tirant à lui la rambarde de fer, soufflant à chaque nouveau palier. Les clés cliquettent à sa ceinture. Je lui demande s'il n'y a pas d'ascenseur. *Bien sûr, qu'il y a un ascenseur. Pourquoi ? Vous êtes pressée ?* Depuis le hall d'entrée il n'a cessé de sourire, de ce sourire modeste, courtois, désuet et lisse qui, finalement, à y regarder de plus près, n'est pas si rassurant.

Nous finissons dans une petite salle de répétition sous les toits, dotée d'un simple piano droit. David est là. Je ne l'ai pas revu depuis une éternité. Trois semaines au moins. Je lui trouve quelque chose de changé dans le regard, entre défi et colère. À ses côtés, le Vuillaume et ses deux archets, rangés dans l'étui. Pas une partition, nulle part.

J'embrasse mon frère et remercie le vieillard en frémissant d'avance sur la descente qui s'annonce vers sa loge ou son local à balais ; je m'apprête à lui conseiller l'ascenseur, mais il préfère s'asseoir dans un coin de la pièce, tout à côté du radiateur. Je remarque alors à ses côtés, dans une boîte en bois d'un autre temps, un second violon.

Ma chère Ariane, votre frère et moi voudrions solliciter vos services... Il s'exprime en roulant les *r* ; un mélange d'accents slave et caucasien, très différents de celui de ma mère. Dans sa bouche, mon prénom se fait voyageur. *Pardonnez-moi, monsieur, mais vous êtes professeur ? Ici ? Au Conservatoire ?*

Sans un mot, le vieil homme sort l'instrument de sa boîte, l'essuie avec un chiffon, soigneux, méticuleux – de cette méticulosité-là dont font preuve les vieux, qui a le don d'agacer les adolescents –, loge le carré de tissu entre la mentonnière et son menton puis, sans crier gare, se lance dans le *Prélude* de la troisième *Partita*.

Encore aujourd'hui, c'est la plus extraordinaire opération de rajeunissement à laquelle il m'ait été donné d'assister, et Dieu sait si en Suisse on s'y connaît en la matière. Mais cette fois pas de chirurgie, non, simplement la musique, celle de Jean-Sébastien Bach, qui semble ranimer le vieillard, lui redonner vie, agilité, audace. Ses doigts dansent le long du manche. Le *Prélude* de la troisième *Partita* pour violon seul est un morceau qui se joue à toute vitesse, les changements de corde y sont incessants, une grande agilité d'archet est nécessaire. Durant trois minutes et une poignée de secondes, j'assiste médusée à ce concert improvisé, à cette démonstration de force d'un jeune homme d'au moins quatre-vingts ans qui ne fait plus aucun cas du poids du temps, de ses muscles rabougris, de ses articulations grippées. Et le plus surprenant, voyez-vous, c'est son sourire qui s'élargit à mesure que la musique inonde son visage, changeant ses rides en véritables tranchées où coule la jouissance de jouer.

Il lance la note finale en l'air dans un ultime vibrato, la laissant résonner comme un feu d'artifice dans une nuit de juillet, puis, redevenu méticuleux, à la manière des vieux, il essuie sa mentonnière, plie son carré de tissu, range l'instrument dans son antique étui. Le regard qu'il me lance alors derrière ses verres en cul-de-bouteille, un regard où brille encore l'éclat laissé par Bach, et qui me fait sentir, moi, Ariane Claessens, quinze ans à tout casser, aussi vieille que le monde.

Comme je vous le disais tout à l'heure, jeune fille, j'aimerais faire appel à votre talent... Mon talent ?... Votre talent de pianiste, bien sûr. Votre talent de sœur aussi... Mais que faudra-t-il faire, enfin je veux dire... Rassurez-vous, rien que vous ne maîtrisiez à la perfection. Je vous ai entendus, vous et votre frère, à Genève, il y a quelques années. Vous n'étiez que des enfants. J'ai vu votre complicité. Je sais que vous nous aiderez à rebâtir... Rebâtir ?... La confiance, bien sûr. En musique comme dans la vie, on ne peut s'en passer. C'est comme jouer avec une sourdine. Sans confiance, comprenez-vous, impossible de se faire entendre. Il désigne le piano droit contre le mur. *Et pourquoi ne pas commencer tout de suite ? Voyons. Que pensez-vous de ceci : Camille Saint-Saëns,* Havanaise ?

Je jette un œil à mon frère. Déjà il accorde son instrument. Son visage parfaitement impassible.

Le vieux a retiré ses lunettes et fermé les paupières, concentré, peut-être même un peu absent, semblant s'être retiré au fond de lui-même. Puis, sans rouvrir les yeux un seul instant, tandis que je règle la hauteur du tabouret, il lance, s'adressant à l'adolescente que je suis autant qu'à l'univers : *Je m'appelle Krikorian. J'enseigne l'art du violon.*

*
* *

118

C'est un gouffre, cette vie de pianiste, un gouffre noir. Il faut l'aimer ; il faut l'aimer pour continuer à avancer, sinon le gouffre vous dévore.

Notre instrument se suffit à lui-même, c'est là notre malédiction tout autant qu'une chance insensée. Le répertoire pour piano seul est un gigantesque continent. Pour l'explorer, il faut en passer par le récital. Aucun autre instrument ne vous condamne à une telle solitude. Bien sûr, les violonistes ont quelques monuments pour violon solo : Bach, Ysaÿe, Bartók... Mais l'essentiel se joue accompagné d'un orchestre... ou d'un piano.

Et puis les violonistes vivent et voyagent avec leur instrument ; il fait office de doudou dans les moments difficiles, les plages de dépression ; le violon est le meilleur ami du violoniste, sa boussole, sa part d'enfance aussi, il ne s'en sépare pour ainsi dire jamais ; l'étui qui le protège est une véritable maison en miniature, il recèle tout un tas de souvenirs, de photos, de porte-bonheur qu'il fait bon regarder ou toucher à quelques minutes du concert, quand le stress est si fort qu'il donne envie de vomir.

Le pianiste, lui, n'a guère la possibilité de voyager avec le paquebot qui lui sert d'instrument. Chaque soir, il faut faire connaissance, se confier à un parfait inconnu, lui dire ses joies et ses souffrances. Qui s'étonnera encore des difficultés qu'ont certains d'entre nous à s'attacher ? Que voulez-vous, moi je papillonne, de piano en piano, et parfois d'homme en homme.

Mes trous de mémoire ne se limitent pas aux partitions. J'oublie aussi les lieux, les visages, les voix. Les chambres d'hôtel, les aéroports, jusqu'aux salles de concert. J'avance à travers ce monde-là, cotonneux, inconsistant, comme une somnambule, sans jamais rien retenir du chemin qui me sépare du Fazioli, du Bösendorfer ou du Steinway.

Il n'y a que deux choses qui s'inscrivent en moi, à tout jamais, je peux vous les décrire dans les moindres détails, pour chaque salle, pour chaque concert : la sensation du clavier sous mes doigts, plus ou moins souple, plus ou moins dur ; mon visage dans le miroir des loges lorsque, invariablement, à peut-être un quart d'heure de mon entrée, je me mets à pleurer. Les rigoles noires sous mes yeux verts. Le nez rouge de Bozo à force de le moucher. Les cheveux en pétard tellement je me prends la tête à deux mains. C'est à ce moment-là, toujours, que je m'enferme à double tour et que je m'assois face à moi-même pour un bon ravalement : démaquillage, remaquillage, comme si je n'avais que ça à faire – Seigneur ! – à quelques minutes de jouer Mozart ou Schubert.

En revanche, je ne suis pas de celles qu'il faut pousser sur scène. On n'imagine pas le nombre de solistes qu'il faut littéralement forcer à se présenter en frac ou robe-bustier tout au bord du plongeoir. Une fois remaquillée, un sourire solidement dessiné sur mon masque, je déverrouille ma loge et marche dans le brouillard. Je ne sens rien, je n'entends rien. Ni les consignes du régisseur, ni la main amicale de Miroslav qui patiente en coulisses, ni les applaudissements, ni la lumière des projecteurs sur ma tignasse rousse. Je marche, j'avance. Je ne vois que ces touches noires et blanches qui dansent, qui dansent à m'en donner le mal de mer, et qu'il va falloir, le temps d'une ou deux heures, discipliner.

120

*
*　*

Saint-Saëns, *Havanaise*, avait dit le vieil homme pour commencer.

Durant cinq jours, dans la salle de répétition au dernier étage, nous avons travaillé d'arrache-pied, mon frère au violon, moi au piano. Je prenais le train, faisais des allers-retours entre Genève et Lausanne ; j'en oubliais mes propres leçons.

Comme il exhibait sa technique, mon frère ! Comme il digérait toutes les difficultés ! La technique, chez David, n'a jamais été un problème. Clair, net, précis, presque trop ; mathématique. Le sentiment, c'est autre chose, n'est-ce pas.

Krikorian, patient, souriant, observait, commentait, guidait, usait de métaphores diverses et variées. Il ne quittait jamais son fauteuil près du radiateur, pas plus que son violon ne sortait de sa boîte. David lui opposait son visage habituel, ni fermé ni ouvert, neutre. Buster Keaton, ou tout comme. Comment dit-on, déjà ? *Alexithymie... Difficulté à exprimer ses émotions.*

Au matin du sixième jour, nous retrouvons Krikorian sous les toits. Son sourire a quelque chose de changé. Disons qu'il s'affiche un peu plus en coin que d'habitude. *Pas d'instrument, mon garçon, pas pour le moment. Nous attendons quelqu'un, vois-tu, une invitée...*

Bientôt, des pas clic-claquent dans le couloir. David et moi nous interrogeons du regard. L'instant d'après, une créature aux boucles noires, perchée sur des talons rouge vif, apparaît dans l'embrasure. *Mes enfants, j'aimerais vous présenter Luz. Elle*

121

enseigne la danse cubaine ici à Lausanne. Mon frère jette un œil nerveux à son instrument mais c'est bien Krikorian qui tire le sien de son étui. Je ne peux détacher mes yeux des lèvres écarlates de cette fille, si parfaitement assorties à ses chaussures. Son parfum capiteux est en train d'envahir la pièce.

Rapidement nous formons deux duos : Krikorian et moi au violon et au piano ; Luz et David, enlacés, tentant un pas de deux. *Vois-tu, David, on ne peut comprendre la habanera dont s'inspire Saint-Saëns sans jamais l'avoir dansée. C'est une évidence. Parfois il faut savoir poser son instrument pour ressentir les choses autrement.*

Luz guide mon frère. Comme il est raide au départ, comme il cherche mon regard et fuit celui de sa partenaire...

Krikorian et moi, en revanche, nous sommes immédiatement trouvés ; à quelques mètres de distance et près de soixante-dix ans d'écart, nous sommes aussi, à notre façon, en train de danser.

Luz rit des maladresses de David, avec douceur, bienveillance. Quand elle tourne, virevolte, change de sens, ses cheveux frôlent le visage de mon frère. Je le surprends à inspirer les effluves parfumés, lui à qui je n'ai jamais connu le moindre flirt. J'en fais quelques fausses notes ; je m'en excuse, vexée, contrariée. Krikorian s'amuse de tout cela. Son violon s'est ensoleillé, dans cette petite salle de répétition, du spectacle de l'élève et de sa professeure de danse. Petit à petit David se laisse aller, non pas à être le danseur qu'il ne sera jamais, mais à jouir de cette présence, si proche, si féminine, à l'écouter, lui faire confiance, à ne penser qu'au rythme, à la musique de Saint-Saëns ; bref, à s'oublier.

Sa main gauche, celle qui, d'habitude, va et vient sur son manche, navigue sur la hanche de Luz, incandescente. Sur le visage de mon frère, ce sourire que je ne lui connais pas, le sourire d'un garçon séduisant, soudain conscient de son charme. Il lui a suffi de se voir un instant dans le miroir que lui tendait la jolie brune. Je le surprends à s'inventer un regard de braise, à jouer de sa grande taille. Est-ce cela, la sensualité ? Une simple prise de conscience ? Une chose si simple, un geste, une attitude, une manière de capter la lumière, d'en sentir la chaleur ? Est-ce cela, le plaisir ? Une fenêtre qui s'ouvre ? Une sensation fugace que l'on s'autorise à saisir là où d'autres reculent, s'enferment, se cadenassent ? Est-ce que le lâcher-prise s'apprend ? Mon frère, si seul, serait-il en définitive doué pour l'amour ? Les rires, les caresses, les baisers, les confidences murmurées entre deux étreintes. Le goût de l'autre dans sa bouche. Se confier. S'abandonner à la bienveillance d'une étrangère. Se moquer de soi-même et de la terre entière. Et sans cesse revenir à la source de ce bonheur aux contours de chair. S'y complaire, encore et encore.

Krikorian jubile un peu plus à chacune de mes fausses notes. Je le sens bien dans son regard. J'aimerais tant me lever, fermer le couvercle du clavier. Aller pleurer tout mon soûl sur sa poitrine de vieillard, sur son chandail de grand-père, aux couleurs passées, effiloché aux manches. Mais je continue de jouer, de donner le change et la réplique. Dans le reflet que me renvoie le piano droit de répétition, je me surprends à sourire. Je suis si heureuse pour mon frère.

Lorsqu'il reprendra son instrument après avoir

tenu Luz dans ses bras, senti son souffle chaud, son parfum capiteux, la musique qui en sortira sera changée. Quelque chose d'imperceptible et d'essentiel à la fois, qui se sera ouvert, qui osera s'exposer à l'oreille et au regard des spectateurs du jour : le vieux professeur et la petite sœur.

Maintenant David joue seul le premier mouvement de la *Havanaise*. Luz s'en est allée, laissant derrière elle, plus qu'une fragrance, une touche cubaine en plein Lausanne. Le violon de Krikorian a réintégré son étui. Celui-ci m'a invitée à danser, moi, Ariane Claessens, quinze ans à tout casser, et de nouveau le corps du vieil homme se tourne vers sa jeunesse. Il sent l'eau de Cologne au chèvrefeuille. C'est si désuet, si délicieux. Nous glissons sans parler tandis que David, yeux fermés, continue de s'oublier. Le professeur me sonde de son regard de hibou derrière ses lunettes épaisses. Il essaie de comprendre ce qui s'est passé toutes ces dernières années, chez moi, chez mon frère, tentant d'entrouvrir les portes de notre enfance, de notre adolescence, de l'appartement des Tranchées, sans jamais se départir de son immuable sourire, ce sourire fabriqué pour contenir les plus puissantes armées et les pires dictatures. Je suis tentée de tout lui raconter mais j'en reste à cette habanera sans paroles, mes mains blanches où pointent les taches de rousseur dans les siennes, parcheminées, grêlées par la vieillesse. Peut-être, après tout, est-ce suffisant. Peut-être qu'une habanera avec la fille Claessens lui suffit, à lui, Krikorian, pour savoir comment procéder avec mon frère, son jeune élève du Conservatoire. *Où avez-vous appris à danser comme ça, monsieur Krikorian ?... Mais où voulez-vous, ma chère ?*

124

À Cuba. C'est là que j'ai compris comment jouer la Havanaise *de Saint-Saëns.*

Je m'appelle Krikorian, avait dit le vieil homme au premier jour. *J'enseigne l'art du violon.* L'art de la vie, peut-être un peu aussi. Mais n'est-ce pas la même chose ?

Bien sûr que si.

*

*   *

Lorsque ma mère vidait sa fiole de somnifères, elle nous laissait des mots d'adieu dans les lavabos de la salle de bains. Une enveloppe pour David, vasque de gauche, une enveloppe pour moi, vasque de droite ; Yaël nous abandonnait aussi ses bijoux, également répartis entre la gauche et la droite. Mon frère ouvrait toujours sa lettre ; il la lisait en silence puis la déchirait en mille morceaux, grave et posé ; moi je n'ouvrais jamais mon mot ; à la rigueur je jetais un œil dans la boîte à bijoux ; à chaque tentative c'était la même répartition, à lui le bracelet en argent, à moi les boucles d'oreilles et le pendentif sertis d'agates. Dans le lot il n'y avait pas, jamais, les raretés offertes par mon père, les perles, le diamant des fiançailles, seulement les babioles ramenées d'Israël, comme si tout ce qui avait suivi son arrivée à Paris avait été dépourvu de toute valeur, de toute réalité.

J'avais cinq ans la première fois, et David sept.

Au début, il y a ce sentiment de terreur à voir sa mère allongée sous les draps blancs, déjà emmaillotée dans un linceul, la fiole vide sur la table de nuit et le téléphone décroché à côté du lit. Et, sortant d'elle, ce souffle si lourd, si bruyant, comme si, sur

125

sa poitrine, pesait une épaisse dalle de béton, comme si, à chaque expiration, c'était tout l'air contenu dans son corps qui s'en allait pour de bon. Je me mettais à guetter, à compter les respirations. Combien en reste-t-il avant que tout s'arrête ? Si elle inspire encore six fois c'est qu'elle s'en sortira. Ou douze. Ou vingt-quatre. Très étrange partition que celle du souffle de ma mère les nuits de somnifères. *Ne t'arrête pas, ne t'arrête jamais de respirer. Continue, continue encore, jusqu'à l'aurore.* Le pire, c'était quand la respiration s'interrompait. Était-ce une simple apnée ou bien la fin ? Chaque seconde de silence durait l'éternité.

Un jour, lors d'une répétition d'un concerto de Prokofiev, un chef autrichien, trouvant que je jouais trop vite, que j'étais systématiquement en avance sur son orchestre, m'a demandé si je connaissais la valeur d'un silence. J'ai claqué le couvercle du clavier et suis sortie boire une vodka à la brasserie d'en face. Je lui ai fait porter un mot, sur un petit plateau, par un serveur en veston : j'exigeais des excuses, devant l'orchestre au grand complet, sinon pas de concert le soir. Les tractations ont duré près d'une heure, de part et d'autre du boulevard. À la fin, le petit dictateur a fini par céder. Excuses plates et publiques. Le serveur qui avait joué les messagers a eu droit à un pourboire royal. Ce jour-là, on m'a prise pour une insupportable diva – ce que je suis, d'ailleurs. L'Autrichien n'a jamais su à quel point il était passé près du premier sang. L'année suivante, il m'a réengagée. Nous avons joué le même concerto, à toute vitesse.

Puis la machine repartait, comme par miracle. La

poitrine sous le drap se soulevait et s'abaissait de nouveau, oppressée par la dalle de béton.

Nous étions tous autour du lit. Mon père, mon frère et moi. Nous y passions la nuit. Bien sûr, Yaël ne prenait jamais son cocktail de pilules lorsque Claessens jouait à l'étranger. Il fallait qu'il soit là pour assister au spectacle. Il en était le spectateur tout désigné, le titulaire de la loge présidentielle. David et moi n'avions droit qu'au strapontin, ou plus exactement au tabouret du piano que nous allions chercher au salon. Nous nous y tenions bien droits jusqu'à une heure avancée, l'un contre l'autre, silencieux, attentifs, à la manière des bons élèves du premier rang en salle de classe. Nous regardions ma mère danser, immobile, sur son fil, sans savoir si ce soir-là elle en atteindrait l'autre extrémité, le petit jour laiteux, en apparence si lointain, inconsistant.

Au bout d'une heure ou deux, l'ankylose gagnait mon dos, irradiait mes fesses ; le besoin de bouger, à chaque seconde, se faisait plus pressant, à chaque minute, plus obsédant. Mais je savais qu'au moindre mouvement de ma part, au moindre instant d'inattention, Yaël tomberait de son fil et sombrerait dans un sommeil sans fin. Alors David prenait ma main. La chaleur de sa paume m'apaisait. Son calme aussi. Je n'étais plus seule face à l'obscurité, face aux silences de ma mère, face au désarroi de mon père. J'avais mon frère. Et je savais qu'il me garderait au creux de sa main aussi longtemps qu'il le faudrait.

J'y pense encore quand, chez moi, au clavier de mon Bösendorfer, j'enchaîne les séances de travail. Là où les autres s'arrêtent, cèdent à l'épuisement, je continue, le temps qu'il faut, jusqu'au petit matin.

127

Parfois, mon père appelait le médecin. Tout dépendait de ce qui restait dans la fiole, combien de cachets. Appeler les services d'urgences, c'était risquer l'hospitalisation, le gyrophare dans la rue François-Le-Fort, le brancard dans la cage d'escalier, les voisins en robe de chambre sur le palier. En Suisse, de jour comme de nuit, il ne faut pas déranger, vous comprenez.

Et puis, au bout d'une grosse vingtaine d'heures, arrivait le réveil de la Belle au Bois dormant. Son teint cireux. Sa voix pâteuse, la drôle d'odeur exhalée par son corps, mélange de transpiration et de médicaments. Peu ou prou les mêmes mots. Des mots d'amour, toujours. *Mes enfants... Mes enfants... J'ai voulu m'en aller mais maintenant je vous aime tant...*

Au début, il y a ce sentiment de terreur. Et puis, comme pour tout, on finit par s'habituer, comme si ça ne comptait pas, comme si c'était *pour de faux*. Les comprimés, le téléphone, le linceul blanc, la poitrine qui monte et descend, le bruit de ballon de baudruche se dégonflant. Le silence dans les moments d'apnée. Un simple rituel, presque banal, dont on sait simplement qu'il finit par revenir, à coup sûr, on ne sait trop quand, avec quelle fréquence, pour ainsi dire quel tempo. C'est le principe de la publicité ; à force de répétition on finit par ne plus écouter. On sait d'avance ce qui va se passer. On s'interroge toujours un peu sur la fin de l'histoire, mais de moins en moins. Cependant le message est passé. Il s'est inscrit en vous, dans votre inconscient, pour toujours.

David lisait les mots dans le lavabo, et moi jamais.

Je n'ai jamais su ce qu'elle voulait nous dire.

Je n'ai jamais rien demandé à mon frère.

128

*
* *

Je suis invitée à une émission de télévision. Un coup de Miroslav, j'en suis sûre. Pendant une heure, on me fait patienter dans une espèce de sas. J'entends des rires et des applaudissements. Soudain, musique assourdissante. Quelqu'un prononce mon nom et le sas s'ouvre sans prévenir. Lumière, chaleur. Il faut descendre un escalier en verre ; j'essaie de sourire, de ne pas me casser la figure avec mes talons et ma robe claire.

L'animateur est un vieux beau en tee-shirt noir. Il me tutoie, passe sans cesse sa langue sur ses lèvres puis se contemple dans le moniteur. Au-dessus des gradins clignotent des voyants rouges et verts. On m'interroge sur ce que je vais jouer. *Chopin*, je dis, *Polonaise héroïque*. Les lumières vertes tourbillonnent. Aussitôt les spectateurs rient, l'animateur aussi.

Des régisseurs poussent un piano sur le plateau. Lorsque j'en ouvre le clavier, les touches manquent. Lumières vertes au-dessus de ma tête. Rires instantanés dans la salle, suivis d'applaudissements. Nous sommes en direct, l'émission est numéro un à l'audimat en seconde partie de soirée. Le tee-shirt noir m'explique alors : je ne suis pas là pour jouer, ça n'intéresse personne. En lieu et place de Chopin il va m'interviewer. Le piano, c'est juste pour l'ambiance. *Mais qu'est-ce que vous voulez savoir ?... Racontez-nous votre enfance !... Mais je n'ai rien à dire... Bien sûr que si. Qu'est-ce que ça fait d'être une enfant prodige ?... Je n'ai jamais été une enfant prodige. Pas moi... Mais si, mais si, c'est marqué sur*

129

mes fiches : Ariane Claessens, enfant prodige... *Non, il doit y avoir un malentendu, je suis venue jouer du piano, rien de plus. Vous ne voulez pas me remettre les touches ?* Les lumières rouges crachent : huées prolongées du public.

Des régisseurs, à la mine patibulaire, me forcent à m'asseoir sur le couvercle du faux instrument. Je me laisse faire, je croise les jambes, mes mains sont moites. L'animateur balance ses fiches par terre, surjoue l'énervement. *Puisque tu n'as rien à dire, ma cocotte, je te propose de nous faire une petite danse...* Le public acquiesce. Je fais non de la tête mais le tee-shirt noir n'en démord pas. *C'est ça ou tu nous racontes ton enfance ; et gare à toi si tu ne nous fais pas chialer à chaudes larmes...* La rampe entière de projecteurs s'est embrasée. Le public scande à l'unisson des lumières vertes et rouges : *la-danse ou la con-fes-sion ! la-danse ou la con-fes-sion ! la-danse ou la con-fes-sion !*

Tant bien que mal, je me lève. Applaudissements. Vertige.

La-danse, la-danse, la-danse...

Le tee-shirt noir manipule un pupitre, appuie sur des touches, mime le grand pianiste ; une lumière rouge m'encercle, donnant le *la* à une musique de lupanar. Le public scande, siffle de plus belle. Je tombe à genoux, en larmes. Flash vert. Rouge. Vert. Rouge. Vert. Rires. Applaudissements. Huées.

Je relève la tête et croise le regard d'une naine peroxydée, debout à quelques centimètres de moi. Son crâne émerge à peine au-dessus de l'instrument. Elle a de beaux yeux bleus. C'est une actrice. Très populaire. Qui joue pour la télévision. Elle a l'air en colère. *Puisque vous n'avez rien à dire, moi je vais leur raconter des blagues. Vous êtes franchement nulle, ma petite, malgré vos grands airs...* Elle se hisse sur la pointe des pieds, jette un œil entre mes cuisses, puis se tourne, hilare, vers les gradins : *Elle-a-pas-d'culooooooootteeee, elle-a-pas-d'culooooooootteeee !*

Je me ratatine sur mon couvercle. *Elle ment. Elle ment.*

La naine rote et pète. Fait des galipettes. Le public exulte.

Le tee-shirt noir joue toujours avec son pupitre et ses lumières. *C'était Ariane Claessens, mesdames et messieurs ! On l'applaudit bien fort !* Le public me fait un triomphe. Les régisseurs roulent le piano hors du plateau, moi toujours perchée dessus. On m'évacue avec les accessoires et le décor tandis qu'un guitariste invisible massacre ma *Polonaise* sur une Gibson électrique.

Je m'éveille couverte de sueur.

Dehors la nuit recouvre la rue François-Le-Fort.

Dans sa chambre, le souffle court, mon père dort.

Demain je dois le transférer dans un établissement spécialisé. C'est ce que les médecins m'ont conseillé. Toute seule, je ne parviens plus à m'en sortir. Son état s'est encore dégradé. Ce matin, pendant que je prenais ma douche, il a quitté l'appartement, sans téléphone et sans papiers. J'ai dû appeler la police. On l'a retrouvé en fin d'après-midi, errant, terrorisé, au bord du Rhône, au pied du Bâtiment des forces motrices.

Pendant des semaines, Claessens a fait comme s'il ne s'était rien passé à Bruxelles. De retour à Genève, il a repris ses activités habituelles, répétitions, concerts, soirées caritatives ; le personnel de l'OSR rasait les murs, évitait toute remarque sur le sujet. La saison s'est achevée sans que rien, pas la moindre rafale de vent, ne vienne perturber la surface lisse du lac Léman. Pas même une ride en apparence, tandis qu'ailleurs, dans le microcosme musical, en Belgique, en France, on ne parlait que de cette fameuse finale du fils Claessens.

Or c'est précisément cette question-là – celle des rides – qui constitue, du moins à mes yeux, le premier signe d'un effondrement annoncé, la première craquelure de la statue si soigneusement polie du Commandeur.

À la mi-juillet, deux mois tout juste après le Reine Élisabeth, en pleine période des festivals, Claessens s'est fait porter pâle, ou bien il s'est offert une semaine de vacances, on n'a jamais trop su quel argument il avait fait valoir auprès de l'administrateur pour s'évanouir dans la nature. C'est long, une semaine, pour un chef de stature internationale. Beaucoup de décisions nécessitent son aval ; la saison suivante est en cours de finalisation ; il faut lancer les invitations, bloquer les agendas des solistes, peaufiner les programmes. Bien sûr, l'Orchestre de la Suisse romande est une machine bien huilée, mais ce n'était pas dans les habitudes de Claessens, son tout-puissant directeur, de disparaître ainsi de la surface de la terre.

Lorsqu'il est réapparu, aussi subitement qu'il s'était éclipsé, j'ai compris que quelque chose avait lâché à l'intérieur. Son visage avait changé. Plus lisse. Moins expressif. Sur chaque tempe, une discrète cicatrice. Il n'avait pas eu à pousser plus loin que Montreux, où pullulent les cliniques esthétiques, pour se donner l'illusion d'une nouvelle jeunesse. C'était sa première véritable incursion dans le registre pathétique. Ce ne devait pas être la dernière.

Dans les années qui ont suivi Bruxelles, mon père est devenu accro aux cures de rajeunissement. Chirurgie, lifting, implants capillaires ; certains à l'OSR évoquaient même une mystérieuse technique de filtration du sang supposément en vogue chez les rockstars. Claessens, à ma connaissance, ne s'était jamais rien injecté dans le corps. Pourtant, il essayait clairement de se rincer de quelque chose. L'obsession d'une peau sans aspérités, laissant glisser la lumière sans que la moindre ride disgracieuse ne vienne contrarier sa course, accrocher le regard. L'image avant toute chose. Son goût prononcé pour les mondanités, les apparitions dans la presse. L'image désormais placée au-dessus même de la musique.

Il s'absentait de plus en plus, sans que personne sache où le trouver en cas d'urgence. C'était un peu comme s'il avait démissionné. Non pas de l'OSR – il continuait à diriger avec la même rigueur –, mais plutôt de lui-même. Voilà. C'était comme s'il s'était absenté de son propre corps, réduit à s'agiter comme un pantin, une baguette à la main, figé dans un éternel sourire, surtout pas trop forcé, histoire de ne pas creuser les rides ou faire craquer le ravalement accompli à grands frais par les médecins de Montreux.

La transpiration était devenue une autre de ses obsessions. Lui qui, vingt ans durant, avait vanté le travail et ses manifestations extérieures – l'expression *mouiller la chemise* était l'une de ses favorites –, lui qui aimait exposer son visage ruisselant au public à la fin du concert en gage de ses efforts, gardait désormais à portée de main, dans les répétitions comme dans les soirées de gala, un petit linge dont il se tamponnait le visage entre les mouvements, puis pendant les mouvements. Ce geste compulsif avait fini par le gagner hors scène. La moindre goutte de sueur, la moindre brillance sur cette figure de cire, avait valeur d'alerte, de danger absolu, et aussitôt il sortait son mouchoir pour s'essuyer la lèvre supérieure.

Longtemps, j'ai cru que c'était David le responsable de tout cela. Ce soir de mai, à Bruxelles, avait vieilli Claessens, l'avait ébranlé jusqu'au plus profond de son individu. Tout ce sur quoi avait reposé sa vie jusque-là, sa conception de la musique, de l'ambition et du succès, sa conception de la famille aussi, avait été déraciné en à peine une seconde par son propre fils et son maudit silence.

Puis j'ai compris, à mesure que les mois et les années passaient, tandis que David et mon père s'acharnaient à ne plus se voir, l'un dans son blockhaus de Sion et l'autre dans son bunker du Victoria Hall, j'ai compris que la fêlure remontait à plus loin en arrière. Claessens ne fuyait pas uniquement les assauts de la vieillesse. En se forgeant à coups de bistouri un visage lisse, impénétrable, c'étaient ses propres angoisses, ses propres failles, ses propres insuffisances qu'il tentait d'effacer. Bien entendu, c'était une lutte perdue d'avance. Les mains, voyez-vous, les mains vous trahissent ; au fil du temps elles s'assèchent, vieillissent, se flétrissent, se couvrent de ridules et de taches, et pas un chirurgien au monde ne peut y remédier. Pour un chef, c'est encore pire. Sur scène, ses mains doivent être d'une précision absolue. La moindre inflexion suffit à modifier une intention. La moindre imprécision et c'est toute une section qui s'en va à vau-l'eau.

Ce sont toujours les mains qui vous trahissent. Ce sont ses mains qui ont trahi mon père. Ses mains de pianiste d'abord. Ses mains de chef ensuite. Mon frère n'a pas grand-chose à voir là-dedans. Il n'a fait que peser sur un arbre déjà rongé de l'intérieur.

*
* *

Krikorian, lui, ne disait pas *Recommence !* Jamais. *Prenons le temps d'y réfléchir*, c'était ce qui revenait le plus souvent.

Les fameuses pauses de Krikorian.

Lorsque mon frère peinait, bloquait, s'enlisait, le vieil homme baissait le chauffage, entrouvrait la fenêtre sous les toits, allumait une cigarette et lançait tranquillement : *Prenons un moment pour y réfléchir.* Ou bien parfois : *Je vous propose d'y réfléchir.*

David posait son instrument et je délaissais mon piano. Nous venions nous asseoir sur des chaises en plastique, face au professeur, et nous le regardions fumer sa Romiennes en silence.

Krikorian était un fumeur compulsif. Il tenait invariablement sa cigarette de la main gauche, celle qui danse sur le manche ; ses doigts jaunis par le tabac, aux extrémités durcies par le frottement des cordes, passaient de ses lèvres au cendrier, puis du cendrier à ses lèvres.

Un jour, j'ai acheté un paquet de Romiennes, par curiosité, pour essayer. C'était une marque premier prix, que l'on ne pouvait se procurer que dans une seule chaîne de supermarchés. Fumer les cigarettes de Krikorian, c'était comme fumer de la paille. Jamais inhalé un truc pareil.

Durant tout le temps que durait la pause cigarette, pas un instant il ne quittait David des yeux. Il le fixait derrière un double écran formé par les volutes mouvantes et ses lunettes aux montures démodées. Mon frère lui rendait son regard. Le jeune élève et le vieillard s'observaient dans le silence le plus complet. Le nuage gris se dissipait progressivement et le visage de Krikorian allait s'éclaircissant. Il écrasait son mégot dans le cendrier et reprenait sur le même ton tranquille : *Retournons aux instruments.*

Au début, je pensais que cette façon de répéter par à-coups servait à faire retomber la pression et l'énervement. David était un musicien à fleur de peau ; il lui arrivait de perdre patience bien qu'il n'exprimât jamais sa frustration. Moi, sa sœur, qui le connaissais par cœur, je la sentais grandir, et Krikorian aussi, bien sûr.

Au fil du temps, j'ai compris que les pauses faisaient pleinement partie de la séance de travail. Elles permettaient de revenir sur les minutes écoulées, de laisser résonner la sonate ou le concerto qui, quelques instants plus tôt, grippait nos doigts, éprouvait notre patience. Le silence, en ce sens, était absolument fondamental pour parcourir le chemin nécessaire entre le passé et l'avenir, entre l'échec et le succès, entre une phrase musicale absconse et la lumière illuminant un pan entier de la partition.

Laissez-moi vous donner un exemple un peu plus éclairant.

Des semaines durant, Krikorian a enjoint à David d'utiliser plus de longueur d'archet. À Genève, pen-

136

dant dix ans, mon frère avait pris l'habitude de jouer très à la pointe, le poids mis sur les cordes venant essentiellement de la main et assez peu du bras. Le vieux professeur avait tenté de lui expliquer la notion de générosité dans la longueur d'archet. Mais David retombait invariablement dans ses anciens travers, un peu avare, un peu chiche de sa propre musique.

Un matin, Krikorian déballe d'un vieux papier journal un archet pour enfant. *Étant donné ta façon de jouer, tu n'as guère besoin d'une baguette plus longue.* David esquisse un sourire ; ça va, il a compris, il va penser à mettre plus de longueur. Mais Krikorian ne plaisante pas, le petit archet finit entre les doigts de mon frère. Ce jour-là, nous travaillons Tchaïkovski. Pendant une demi-heure, David s'escrime à jouer avec l'archet d'un gosse. Le résultat, évidemment, est une vraie catastrophe.

Prenons le temps d'y réfléchir, dit le professeur.

Les volutes de fumée tournicotent au-dessus de nos têtes, s'échappent par la fenêtre entrouverte. Mon frère, sourcils froncés, fixe son professeur. Silence. Silence encore. Rien d'autre, par intermittence, que le grésillement de la cigarette entre les lèvres du vieillard.

Retournons aux instruments. Avec le même archet, s'il te plaît.

Une demi-heure encore de Tchaïkovski, dans sa version pour radin. Krikorian prodigue ses conseils le plus sérieusement du monde face à un musicien de dix-huit ans qui joue avec un archet taillé pour un débutant de cinq.

Il faut y réfléchir.

137

Le vieux roublard prend tout son temps pour griller sa tige. David a posé la ridicule baguette sur ses cuisses, semblant en mesurer la petitesse tout en dévisageant le vieillard par-delà l'inamovible rideau de fumée.

Reprenons les instruments. Toujours la même baguette, si tu veux bien.

Pendant de longues minutes encore, mon frère se heurte à l'impossibilité de jouer ce concerto sans mettre plus de longueur et de poids dans l'archet. Je l'accompagne au piano, jouant la partie orchestrale, sentant David se cogner à un mur de béton chaque fois qu'il atteint la pointe ou le talon.

Prenons le temps d'y réfléchir.

Krikorian sort d'une sacoche éculée un paquet de cigarettes flambant neuf ; il en défait la Cellophane avec lenteur ; il a du répondant pour quelques heures encore. Un vertige me saisit. Je jette un œil à mon frère. Curieusement, il semble en phase d'apaisement. La frustration cède la place à d'autres sentiments, un mélange de réflexion et de renoncement.

Retournons aux instruments.

David a repris l'archet sans que Krikorian le lui ait demandé, s'infligeant une grosse demi-heure supplémentaire enfermé dans cette minuscule cellule de cinquante-cinq centimètres de long, cet enclos pour gamin, fait d'une baguette en bois, d'un fil d'argent et d'une mèche de crin.

Il faut y réfléchir.

Ils s'observent pour la Dieu-sait-combientième fois.

Reprenons.

Je n'en peux plus.

Prenons un moment pour y réfléchir.

J'ai la tête qui tourne. C'est comme si mon espace vital, à moi aussi, s'était réduit. Comme si l'on avait amputé mon clavier de moitié.

Reprenons.

Je vous propose d'y réfléchir.

Silence.

Loin, très loin, dans les étages plus bas, on entend l'écho d'un tuba. Krikorian écrase sa énième Romiennes. Le cendrier commence à déborder. Ses doigts, surtout le pouce et l'index, ont viré à l'orange crasseux. La respiration de mon frère est régulière. Elle s'est calée sur celle de son professeur. Le souffle rauque du vieux fumeur à la chaîne.

Inspiration.

Expiration.

La poitrine de l'adolescent se soulève et s'abaisse, s'en va capter jusqu'au moindre souffle d'air filtrant par la fenêtre entrouverte. Dans la vie, il faut profiter du moindre atome d'oxygène, du moindre pouce de liberté, du moindre centimètre d'archet. C'est la leçon du jour.

David finit par se lever, cale l'instrument sur sa clavicule ; dans sa main droite, cette fois, l'archet à taille d'homme.

Le son qui sort de son violon, c'est insensé comme il a progressé.

Je n'ai jamais vu faire usage de cette technique ailleurs, dans aucun conservatoire ni aucune *master class*. Aucun autre professeur ne demande à l'élève d'abandonner son instrument pour le fixer droit dans les yeux, dans le silence le plus complet, le temps d'une cigarette de supermarché. Personne n'a jamais fait cela, ni en France ni en Suisse.

Plus tard, je comprendrai que cela lui reste de sa jeunesse en URSS. Une technique fort efficace. Là-bas on n'en usait pas seulement sur les musiciens.

*
* *

Ma peur, je l'appelle le chien noir.

C'est au matin du concert qu'il se manifeste toujours. Dès le réveil. J'ouvre les yeux, je l'aperçois au pied du lit, assis, à me fixer, attentif, curieux, les oreilles dressées.

Ma peur est un bâtard, entre le chien-loup et le corniaud de caniveau. Son pelage charbon a des reflets bleutés. Sur son poitrail, une tache blanche, la taille d'une pièce de cinq francs. Parfois je suis tentée de la toucher. Parfois j'aimerais prendre un couteau de boucher et le lui enfoncer, juste là, à hauteur du cœur. Mais je n'ai jamais osé. Je me dis que, sans lui, ce serait encore pire, car alors je ne pourrais plus regarder ma peur en face.

Je me lève pour aller préparer le café. Le chien noir m'accompagne dans la cuisine. J'entends ses griffes cliqueter sur le carrelage. Ensemble nous attendons en silence que le liquide marronnasse achève son goutte-à-goutte dans la cafetière. Je suis bien incapable de manger quoi que ce soit. De toute manière le chien n'est pas du genre à réclamer. Ni viande, ni biscuits, ni croquettes. Il se nourrit exclusivement de moi. Et Dieu sait s'il a de l'estomac.

Si je suis à l'hôtel, c'est exactement le même rituel. À cette différence près que je commande une tasse bien noire auprès du *room service*.

Je me pelotonne sous la couette, le récipient

140

brûlant sur la table de nuit. Le chien vient invariablement le renifler et je déteste ça. Je place un oreiller sur ma tête mais je l'entends tout de même, son espèce de jappement ; lui, langue pendante ; parfois une goutte de bave dégringole sur le tapis, alors je le fusille du regard.

Je bois mon café.

Il a des yeux dorés qui pourraient être beaux s'ils ne me déshabillaient avec tant d'insistance.

Bien entendu il va m'accompagner jusqu'à la salle de bains. Inutile de lui fermer la porte au museau car il se mettrait à gratter et ce serait insupportable. Le bruit, j'entends, le bruit de ses griffes esquintant la peinture.

Il me regarde prendre ma douche. Je m'y suis habituée ; ce n'est pas le moment le plus difficile de la journée ; sentir ses yeux sur mon corps ; parfois je parviens même à l'ignorer, en réglant le jet très chaud et en laissant longuement couler l'eau. Je ferme les paupières et je lui montre mon dos.

Je m'enveloppe d'un peignoir, branche le sèche-cheveux. Je sais qu'il aime ce moment-là par-dessus tout, le chien noir, il aime me regarder coiffer mes cheveux, parce qu'une fois ma tignasse lisse et soyeuse il y a déjà quelque chose d'Ariane Claessens dans ce que reflète la glace, cette Ariane-là qui, le soir venu, se présentera au public dans sa belle robe de concert.

Le restant de la journée s'écoule au compte-gouttes.

Interminable.

Bien entendu je suis incapable de travailler, d'ouvrir le couvercle d'un clavier, ne serait-ce que de m'en approcher.

141

Mes partitions sont au fond de ma valise ou bien enfouies dans un placard. Je n'ai pas même l'idée de les en sortir.

Je sais que je suis prête.

Techniquement je suis forte.

La crainte du trou de mémoire, alors ? Peut-être bien. Mais il n'y a pas que cela.

Ce soir je m'avancerai seule sur scène pour jouer mon récital.

Tous ils me scruteront comme me scrute le chien.

C'est comme si j'avais quelque chose à cacher.

Vous comprenez ?

C'est comme si j'avais quelque chose à cacher au monde entier. Comment voulez-vous faire quand votre métier consiste à vous produire devant mille ou deux mille spectateurs ? Comment voulez-vous faire, quand votre instinct le plus profond vous dicte de ne pas y aller, de ne pas marcher sur ce plateau, de ne pas vous asseoir sur ce tabouret, de ne pas poser vos doigts sur ce clavier, car alors ils pourraient tout savoir, tous ces gens dans la salle, tout comprendre, tout voir, tout entendre.

Je grignote des noix, des amandes, des fruits secs. Pendant des heures je ne suis bonne qu'à ça, et à regarder les émissions de la journée à la télé. Je suis devenue incollable en documentaires animaliers. Parfois je lance au chien un raisin rabougri, une cacahuète. Il la renifle, circonspect, puis la délaisse sur la moquette. Lorsque je quitte mon appartement ou ma chambre d'hôtel en fin d'après-midi, la femme de ménage retrouve le sol jonché de graines en tout genre. Je n'ai jamais le courage de ramasser, alors je laisse un mot d'excuse.

En général, je préfère marcher jusqu'à la salle.

142

J'essaie de respirer, de prendre l'air, de me focaliser sur autre chose, n'importe quoi. Je lis les plaques d'immatriculation dans la rue. Les titres des kiosques à journaux. J'essaie de me rappeler que j'ai un corps. Des muscles. Des articulations.

Bien entendu le chien est sur mes talons.

Parfois je traverse sans regarder, dans le vague espoir qu'il se fasse écraser, mais c'est bien moi, toujours, qui reçois une bordée de jurons. Selon la langue utilisée, je sais que je suis en Allemagne, en France, en Italie ou aux États-Unis, ce qui ne change rien à l'affaire. Il n'y a que le décalage horaire qui varie. Donc la durée de mes insomnies.

Le chien et moi arrivons au théâtre. Entrée des artistes. En général il me précède, fait comme chez lui, snobe le vigile. Je n'ai qu'à le suivre dans le dédale de couloirs pour rejoindre ma loge.

Souvent j'y retrouve Miroslav, un fer à repasser à la main. C'est Miroslav, voyez-vous, qui prend soin de mes robes et cire mes escarpins. Une vraie petite mère, ce Miroslav. Il pense toujours à mettre des fleurs dans un vase. Il me demande si j'ai bien dormi. Je le fusille du regard, comme s'il avait proféré une obscénité. *Ne t'inquiète pas. Tout va bien se passer. Comme toujours. Tu es la meilleure.*

Je commence par mettre les fleurs à la poubelle, toujours.

Je coince ma photo fétiche en bas à droite du miroir. Avec le temps, les voyages et les concerts, elle s'est toute racornie. Miroslav s'y est habitué. Il ne me pose plus de question à son sujet. Il ne veut plus savoir pourquoi j'affiche cette photo d'Horowitz, celle-là et pas une autre.

Je ne lui ai jamais parlé du chien noir.

143

Il s'est couché sous la table de maquillage. Lui et moi attendons désormais le soir. Il nous reste deux bonnes heures à tuer.

C'est le moment choisi par Miroslav pour aller faire un tour. Demander où en sont les réservations. Qui sera là parmi les invités professionnels. Les *connaisseurs*. Je crois vous en avoir déjà parlé. Il en suffit d'un seul, malintentionné, pour me ruiner la soirée. Rang 3, place 44. Il n'est pas content parce qu'on ne l'a pas placé assez au centre, ou assez près, ou assez loin de la scène. Il n'est pas content parce qu'il n'approuve pas le programme, parce qu'il n'aime pas ma robe ou mes chaussures, parce qu'il trouve que je fais un peu pétasse. Il n'est pas content parce qu'il ne m'aime pas, tout simplement. Alors, pendant tout le concert, il affichera une mine sinistre, et son hostilité fera tache sur toute la rangée, comme une traînée radioactive. Depuis le piano, je pourrai la sentir, l'odeur infecte du charognard. Toute la troisième rangée, contaminée par sa mauvaise humeur. À la fin il refusera d'applaudir, pas un battement de mains, mais il viendra me voir, au moment des signatures, tout sourire ; il me dira à quel point j'ai été merveilleuse, la reine de la soirée, et je saurai à son regard, à son intonation, qu'il m'éreintera le lendemain, dans les milieux avertis ou, mieux, dans son journal si c'est un scribouillard.

Une heure encore à tuer.

Les portes du théâtre ont ouvert. Parfois j'entends une vague rumeur en provenance du bar. C'est l'heure de se maquiller, d'endosser mon masque de scène. L'une des séquences favorites du chien noir, avec le séchage des cheveux plus tôt dans la mati-

144

née. Dans une grosse demi-heure, je fondrai en larmes, et il faudra tout refaire.

Je vous épargne les petits troubles d'ordre digestif. Les maux de cœur, les nausées, les vomissements, les diarrhées. Cela gâcherait le glamour de la soirée.

Le chien me regarde me maquiller. C'est mon image qu'il observe, et non le visage d'Ariane Claessens. C'est mon image dans la glace qui l'intéresse. Je lui rends son regard à travers le miroir. Parfois, je m'autorise à lui parler. J'essaie de le mettre dans ma poche. Qui sait, peut-être que ce soir il me laissera vaguement tranquille.

À quinze minutes de mon entrée en scène, les larmes commencent à couler sans que je puisse les arrêter. Le mascara dégringole sur mes joues en fines rigoles carbonisées. C'est le moment préféré du chien noir, là qu'il acquiert toute sa vigueur. Parfois je le surprends à remuer la queue, le sale clébard.

Ravalement de dernière minute. Démaquillant. Fond de teint. Mascara. Eyeliner. C'est là qu'il faut se décider : paniquer ou ne pas paniquer. Jusqu'ici j'ai toujours opté pour la seconde solution. Sans garantie aucune pour les prochains concerts.

Miroslav passe la tête par l'embrasure. *Tout va bien ?... Super... C'est plein à craquer, ce soir... Super... Tu as besoin de quelque chose ?... Une corde pour me pendre... Pas de problème, je vais demander au régisseur. Il viendra te chercher à trois minutes de ton entrée en scène... Pas la peine, je me serai déjà enfuie par la sortie de secours... Ariane ?... Miroslav ?... Tu es belle comme un concerto de Mozart.*

À moins deux minutes, je patiente en coulisses. Les lumières bleues de service nous donnent à tous

145

un teint cadavérique. Le chien ne me quitte pas d'une semelle.

Noir côté salle. Les projecteurs crépitent au-dessus de la scène.

Applaudissements. Douleurs dans la poitrine. Jambes en coton. Qu'est-ce que je suis venue leur jouer, déjà ?

Encore une fois il faut se jeter dans la fosse aux lions. Je n'ai jamais rechigné mais là il faut une fin à tout. Je leur expliquerai que je ne me sens pas bien. Un coup de froid dans l'avion. La salade de crevettes hier soir n'était pas des plus nettes. Mieux vaut tout annuler. Je vous rembourserai personnellement, j'ai les moyens, avec un disque et un petit mot de ma main.

La distance qui me sépare de l'instrument : combien de kilomètres ? Mais quelle idée de porter des talons. Et cette robe, pire qu'une traîne de mariée à tirer.

Le chien toujours à mes basques. Face au public, lui et moi saluons. Ma main gauche agrippée au piano, sans ça je tombe à la renverse.

Je m'assois enfin. Les vertiges se calment un peu mais les touches dansent devant mes yeux.

Je lui lance un dernier regard. Je fixe la tache blanche sur sa poitrine noire.

Alors, deux possibilités : soit il se met à aboyer et je sais que je vais devoir jouer avec ses hurlements dans l'oreille pendant toute la soirée, lutter, lutter, lutter ; soit il va tranquillement se coucher sous l'instrument après avoir tourné trois fois sur lui-même, sans que je puisse expliquer comment ni pourquoi ; et pendant tout le temps qu'il dormira, sa tête posée sur ses deux pattes, j'aurai une chance, moi, Ariane

146

Claessens, d'atteindre une forme de paix, de m'oublier dans la musique, d'être une simple colonne de lumière.

*
* *

David passait ses semaines à Lausanne, travaillant d'arrache-pied dans la petite salle de répétition sous les toits ; il louait une chambre d'étudiant sur les hauteurs de la ville, tout près du centre hospitalier ; il ne rentrait à Genève que pour assister au déjeuner du dimanche, pour ainsi dire en spectateur.

Claessens l'avait institué, sanctuarisé après la désertion de mon frère. Chaque dimanche, ma mère jouait à la maman et mon père jouait au papa. C'est-à-dire qu'elle cuisinait un repas et mettait les petits plats dans les grands (à cette époque, il n'y avait déjà plus d'employée de maison rue François-Le-Fort, ni nanny ni cuisinière). Quant à Claessens, il présidait à la table du salon et assommait son fils de questions.

C'était un drôle de simulacre. David s'y pliait avec l'apparence de la docilité, *Et alors, ton professeur, d'où vient-il, déjà ?* Mon frère mangeait son gigot et ses haricots verts, *C'est un Russe, c'est ça ?* sans guère lever le nez de son assiette, *Un Arménien, papa.* Ma mère, muette, le servait encore et encore, *Merci, maman, merci bien,* jusqu'à ce que l'assiette déborde et que mon père fût forcé d'intervenir, *Enfin tu vois bien qu'il n'a plus faim, Yaël, laisse-le un peu tranquille, ce gamin.*

Mon frère, bientôt majeur, infantilisé chaque dimanche, mastiquait, avalait sans broncher. Pourtant c'était bien lui qui avait fui après *l'accident industriel* du Victoria Hall, et les déjeuners du

147

dimanche, si lisses en apparence, ne faisaient qu'aviver la lueur de colère dans ses yeux. En fin d'après-midi, lorsqu'il reprenait son train pour Lausanne, je pouvais voir, rien qu'à sa façon de marcher sur le quai de la gare, qu'il avait fait son plein hebdomadaire de carburant revanchard.

Les Russes sont solides, techniquement, j'entends. Ils ont une intelligence de jeu qu'ici nous... Les monologues de Claessens nous entraient par une oreille et ressortaient par l'autre, *J'ai fait ma petite enquête, tu sais, personne n'a l'air de le connaître, ton professeur, c'est un parfait inconnu ; quel âge dis-tu qu'il a ? Bien entendu, je te fais confiance ; profite de son expérience, fils, mais veille aussi à travailler avec des professeurs plus jeunes et plus connus. Ce sont eux qui te mettront véritablement le pied à l'étrier. Si ton Russe avait déjà amené ses élèves au sommet, ça se saurait, non ?* David et moi nous regardions par en dessous, complices, sales gosses de quinze et dix-sept ans ; j'imaginais volontiers Claessens jaloux de Krikorian, de sa relation avec son propre fils, *Il paraît aussi qu'Ariane te donne un coup de main de temps en temps ? C'est bien, c'est gentil de sa part, mais j'attire votre attention là-dessus, les enfants* ; à mon tour, je plongeais le nez dans mes haricots verts ; au Conservatoire de Genève, j'étais devenue la championne toutes catégories de l'absentéisme. Et pourtant, d'une certaine manière, jamais je n'avais autant travaillé mon piano qu'avec mon frère et le vieil Arménien. *Ariane ne peut passer son temps à jouer ton accompagnatrice, elle doit donner la priorité à sa recherche ici, sa recherche personnelle.* Je pensais à la sonate, au concerto du moment que nous explorions tous les trois, dans la salle sous les toits. J'en relisais la partition dans mes pensées et les discours moralisateurs de Claessens passaient au second plan, *Ses allers-retours entre Genève et Lausanne risquent de lui prendre du temps et de l'énergie, enfin il doit bien y avoir des accompagnateurs de talent là-bas, non ? Ton Russe devrait pouvoir te trouver quelqu'un, non ?* Ma recherche personnelle, ma quête artistique du moment, c'était sortir David de son impasse. Rien ne m'intéressait plus.

Il n'y a eu qu'un seul véritable incident durant cette courte année de déjeuners dominicaux. Un jour, au moment du café, mon père a demandé *Tu as assez d'argent comme ça, fils ? Le loyer, la nourriture, tu as ce qu'il te faut là-bas ? En même temps, tu n'es pas bien loin. Ce n'est pas comme si tu étudiais à Juilliard, n'est-ce pas ? En cas de besoin, tu sais où t'adresser.* J'ai senti mon frère se crisper. Sous la table, il a serré ses cuisses. Claessens avait mis le doigt en plein sur les contradictions de son fils. Sa révolte, son exil à moins de soixante kilomètres de là, il les vivait aux frais de son père.

David a plongé les yeux dans sa tasse. C'était comme s'il s'y était englué tout entier. *Je gagne un peu d'argent, là-bas, tu sais... Ah bon, à Lausanne ? Et comment ?... Je joue les jours de marché... Je te demande pardon ?... Je joue les mercredis et les samedis au marché de la Riponne. Je joue et les gens donnent.*

J'ai lu la surprise dans les yeux de mon père, puis la colère, mais il n'a guère eu le temps de l'exprimer parce que David a renversé son café en voulant attraper le sucrier. Yaël s'est aussitôt précipitée. Avec le temps, vous comprenez, elle s'essayait à devenir femme d'intérieur.

149

Nous l'avons regardée tous les trois en silence, le père, le fils, la sœur, tamponner la nappe à l'aide d'une éponge rose à fleurs. Et puis David a dit, dans sa voix comme une envie de tuer, *Il paraît que tu dors dans la chambre de la bonniche, maintenant, maman ?*

Le reste est un peu plus confus dans ma mémoire. Parce que alors il y a eu des cris, des pleurs, et même des assiettes à dessert fracassées contre le mur. Je ne me souviens vraiment que d'une chose, c'est que je venais moi aussi de mettre un sucre dans ma tasse, et je m'efforçais de tourner ma cuillère sans rien renverser, tandis que la table, le parquet, l'appartement entier tremblaient à s'effondrer.

*
* *

Tu t'es claquemuré dans ton blockhaus à Sion parce que tu pensais avoir atteint, ce soir-là, le point culminant de ton existence. Ne t'énerve pas, c'est une hypothèse que j'avance. À force de ressasser tout ça, je vais bien finir par trouver une explication.

Tu as dix-huit ans ; tu atteins la finale de ce maudit concours à Bruxelles ; en l'espace d'une grosse demi-heure, tu tutoies les sommets de ton art et puis, dans la foulée, tu rases ce que tu as bâti d'un coup de bulldozer. Une vie de travail jetée à terre, et la statue haïe et vénérée du Commandeur enfouie dans la même fosse aux morts.

Comme tu as dû te sentir puissant, ce soir-là.

Tu peux être fier, tiens.

Ensuite, Monsieur se fait ermite. Monsieur rachète un ancien bunker. Monsieur se l'aménage pour y vivre en parfaite autarcie. Tu te moques bien de ce qui peut se passer en bas dans la vallée, n'est-ce pas ? Ce ne sont plus tes affaires, le père, la mère, la sœur, simples mortels. Toi tu as fait l'expérience de la révélation. La jouissance absolue. Tu te mets en ménage avec celui qui te l'a procurée : ton violon (après tout pourquoi pas, tu n'es pas le premier musicien à le faire). Et comme on ne retouche pas la perfection, jamais, tu préfères lui faire prendre la poussière, à ton bel instrument, pendu à un clou fiché dans un mur d'un mètre d'épaisseur. Mieux vaut rester là-haut à flotter dans les airs plutôt que de te risquer à une possible dégringolade.

Mais qu'est-ce que c'est que ce mysticisme à deux francs six sous suisses ? Tu peux m'expliquer ? David, tu pourras m'expliquer un jour ?

Ce soir-là, grand frère, tu m'as laissée sur le bord du chemin. Tu as ouvert la portière et tu m'as dit *Descends, petite sœur, je continue tout seul.*

Enfant de salaud, va.

Fils de foldingue.

Et moi, désormais seule, seize ans à tout casser, qui n'ai jamais embrassé un garçon, ni joué en récital devant plus de cent personnes. Moi, seule, à devoir porter cinq cent cinquante kilos de ferraille et de bois laqué sur le dos. Sans compter les deux branques de service : Don Giovanni et Madame *Casta Diva.* Seule comme une pierre, je te dis.

Je t'ai vu, ce soir-là, sur la scène du Palais des Beaux-Arts. Je t'ai vu faire ce que tout musicien rêve d'accomplir un jour. Parler à Dieu le Père. Rang F, place 16, j'étais là, je te dis, je t'ai vu faire. Et aussitôt après tu as refermé la portière en me laissant dehors.

J'ai vu ton visage, grand frère, tandis que tu jouais

151

l'*Opus 77*. C'était le visage du Christ sur sa croix. Souffrance extrême. Extase totale. L'union intime avec la musique, joyeuse et douloureuse. Tu as creusé si profond en toi, grâce à cette partition, que tu as fini par la trouver, cette porte de sortie. Le centre de la terre, voilà par où tu es passé, le noyau de toutes choses, puis tu es ressorti par l'autre côté, aux antipodes.

Je te comprends, va, je te comprends, grand frère. Ce doit être difficile de revenir. Quand bien même il y aurait, quelque part dans un autre hémisphère, ta rouquine de sœur hurlant à la mort (*wie ein Schloßhund heulen*, disent les Allemands – comme un chien de château fort). Je comprends que tu sois tenté de rester tout là-bas. Moi-même, si cela m'arrivait un jour... Enfin, je ne sais pas.

Était-ce ainsi quand j'ai joué Liszt ? À New York, tu sais, quand mon piano ne touchait plus terre. Ai-je moi aussi parlé à Dieu le Père ? Me suis-je couchée dans le giron de mère Nature ? Je ne saurais plus le dire. C'était il y a dix ans à peine mais déjà le souvenir n'est plus aussi clair. J'ai l'impression d'avoir tout fabriqué. Et puis j'ai tellement joué depuis. Peut-être que je confonds. Peut-être était-ce ailleurs. J'ai donné des concerts aux quatre coins du monde, tu sais, et dans les deux hémisphères. Mais je ne t'ai jamais retrouvé, nulle part.

Ce jour-là, j'étais cachée derrière un paravent, tu sais, et tu n'étais pas là pour me dire. Est-ce que mon visage, à moi aussi, avait les traits du Christ ? L'union intime, tu sais, l'union avec la musique.

Je n'arrive plus à me souvenir.

Encore et toujours mes problèmes de mémoire.

Si tu veux mon avis, c'était toi le meilleur. Tu l'as

toujours été et tu le seras toujours, même en laissant ton instrument prendre la poussière. Et j'aurai beau sillonner le monde en long, en large et en travers, donner des concerts par centaines, des autographes par milliers, gagner des millions de dollars, me faire applaudir encore et encore et encore, je ne pourrai jamais rien y faire.

*
* *

Un matin, Krikorian débarque dans la salle sous les toits, non pas avec son habituelle boîte à violon sous le bras, mais muni d'une sacoche noire dont il tire une petite caméra. *Ne t'inquiète pas, garçon. C'est pour te faire voir tes progrès dans la longueur d'archet. Fais comme si ce machin n'était pas là. Voyons voir, aujourd'hui : Bach, Paganini, Mozart.*

La présence d'un objet si contemporain entre les mains du vieux professeur me laisse une impression bizarre. Je m'étonne qu'il en connaisse le fonctionnement. Pendant près d'une heure, David joue ses classiques sous l'œil de plastique et de verre. Puis le vieillard replace la caméra dans sa mallette sans faire de commentaire. Mon frère n'y prête qu'une attention distraite, je peux même lire le soulagement dans son regard ; sa propre image ne l'intéresse guère ; il fuit comme la peste tous ces dispositifs dont il dit qu'ils sont faits pour les narcissiques et les voyeurs ; si Krikorian avait voulu se lancer dans une captation sonore, ç'aurait été une autre histoire.

Je suis la seule à réagir en fin de séance. *Vous ne nous montrez pas les images, alors ?... Quelles images ?... Mais celles du caméscope !...* Krikorian prend un air roublard et comploteur. *Un peu de*

153

patience, jeune fille, je veux les visionner d'abord ; et puis, vois-tu, il faut que la machine digère...

Nous ne les verrons jamais. Le soir même – c'est lui qui me le confiera plus tard –, il porte l'enregistrement à la grande Poste de la gare, dans une enveloppe soigneusement matelassée d'une bonne dizaine de feuilles arrachées à une vieille partition.

*
*   *

Ce sont ses mains qui l'ont trahi. C'est ce que les gens bien informés, les soi-disant amis, les supposés collègues savent et relaient depuis plus de vingt ans. La version circulant sous le manteau est devenue, au fil du temps, la version officielle : les tendinites ont eu raison de son talent. Allez savoir s'il se serait vraiment consacré à la direction d'orchestre sans ces sacrées douleurs aux doigts.

J'étais trop petite, bien sûr, beaucoup trop jeune pour me rendre compte, ou plutôt pour saisir les répercussions d'un tel tremblement de terre. Nous habitions encore Paris, rue Murillo. Le jeu pianistique de Claessens, dont la carrière internationale avait atteint son rythme de croisière, dont le programme était complet pour les deux ans à venir, a commencé à se déliter lors d'un concert, quelque part en Belgique. En cause, des douleurs dans le quatrième et le cinquième doigt, qui affectaient leur motricité, gagnaient progressivement la main entière. Les compresses de glace n'atténuaient ni les crises ni les gonflements, pas plus que les injections. Les grands médecins parisiens, les spécialistes de la main s'arrachaient les cheveux, changeaient sans cesse leurs ordonnances, remontaient tels des détec-

154

tives la piste du nerf cubital, puis du canal carpien, sans succès, sans résultat aucun.

Je connais tout ceci. J'y suis passée aussi.

La main est un drôle d'animal. Elle prend, touche, pince, caresse ou frappe. Elle appuie sur la partie du corps qui fait mal – ventre, poitrine, tête. Elle ausculte, elle apaise. C'est elle aussi qui serre la main de l'autre, perçoit sa chaleur ou sa nervosité. Une porte vers le monde extérieur, voilà ce qu'est la main. C'est elle encore qui vient se poser sur l'être aimé, l'homme, la femme, l'enfant. La solitude absolue est celle du toucher. Vous aurez beau jouir d'une vie sociale et professionnelle frénétique, si vous ne touchez jamais personne alors vous serez plus seul qu'une pierre. Et les pianistes, alors ? Pour eux c'est encore pire. C'est une question de vie ou de mort. La main est leur unique moyen d'expression. La courroie de transmission qui permet d'exprimer sa sensibilité, ses sentiments, son trop-plein ou son vide abyssal, tout ce qui se passe à l'intérieur. Quand la main du pianiste est en souffrance, alors c'est le monde entier qu'il faut repeindre en noir.

Je le sais, je vous dis. Au tout début de ma carrière, j'y suis passée aussi. Les compresses de glace, les corticoïdes, les nuits gainées dans une attelle, les gonflements subits au niveau de la paume ou du poignet. Je m'en suis sortie parce qu'un jour un ergothérapeute m'a dit *Votre main compense... Compense quoi ?... Tout un tas de choses, j'en ai bien l'impression, mademoiselle Claessens...*

Je refusais de prendre le même chemin que mon père. Je suis allée voir Miroslav, j'ai annulé tous mes concerts. Pendant trois mois je n'ai plus touché un clavier, je n'ai fait que lire mes partitions, laissant le

155

texte entrer en moi, s'y installer, y vivre sans qu'il faille pour autant assurer la représentation du soir. Pendant trois mois je n'ai pas touché à un piano, mais j'ai caressé des corps d'hommes, des peaux brunes et blondes, des fesses, des cuisses, des sexes. J'ai plongé mes doigts dans des torrents glacés, ramassé les galets ronds et lisses. J'ai chiffonné des rivières de soie sur les étals du Marché Saint-Pierre ; pendant de longues semaines je n'ai plus quitté mon pantalon de cuir. Je me suis mise à faire mon propre pain, à en pétrir longuement la pâte sous ma paume. J'ai appris à monter à cheval, à flatter l'encolure de l'animal, sentir son poil frémir à mon contact. Je me suis rappelé que je voyais le monde avec mes mains, et que ce monde ne se limitait pas à quatre-vingt-huit touches noires et blanches.

Si les gens pensent que je suis de glace, c'est parce qu'ils fixent obstinément mon visage, qu'ils trouvent gracieux, harmonieux, et qu'ils oublient de regarder mes mains. Mes mains sont deux braises incandescentes qui s'obstinent à luire quand bien même il ferait froid et noir au-dehors.

Mon père, lui, s'est enfoncé dans un puits sans lumière et sans fond. Devenir chef, passer à la direction, c'était sa façon de survivre à la catastrophe.

De tout cela je ne garde aucune image dans ma mémoire, mais des sons. Je vous l'ai dit déjà, je n'ai aucun souvenir de la rue Murillo à Paris. Sauf des sons. Vous suivez ?

J'étais sans cesse fourrée sous le piano, je l'étais si souvent que l'on m'y oubliait des jours entiers.

Ce sont des sons qui me reviennent de temps en temps, la nuit surtout, quand je n'arrive pas à dormir.

Mon père qui gémit de douleur. Le Steinway du salon qui gronde comme le tonnerre parce que Claessens y écrase ses poings de désespoir. Le silence qui s'ensuit. La respiration de mon père qui s'accélère. Puis le couvercle du clavier que Claessens ferme, puis rouvre, puis ferme.

Puisque je vous dis que je n'ai aucune image en tête. Juste des sons. À la rigueur, le dessous mordoré du piano, je m'en souviens, oui, et les chaussures cirées de mon père.

Allez savoir s'il se serait vraiment consacré à la direction d'orchestre sans ces sacrées douleurs aux doigts.

Allez savoir si notre famille aurait fini en mille morceaux s'il avait continué à jouer du piano.

*

*   *

Tout se jouera entre la fin avril et la mi-mai. Nous avons un peu moins de quatre mois pour t'y préparer.

Nous sommes à Lausanne, dans la petite salle de répétition. David serre nerveusement le Vuillaume sous son bras ; dans sa main gauche, l'archet ; dans la droite, le courrier que vient de lui transmettre Krikorian. Les secondes défilent. Mon frère reste immobile, lisant puis relisant la lettre qui tient en quelques lignes, comme si elle lui parvenait d'Amazonie ou de Chine. Pourtant l'enveloppe porte le cachet des postes belges. Elle est écrite en bon français. Elle informe le jeune violoniste et son professeur du Conservatoire que sa candidature au concours Reine Élisabeth a été retenue sur la base des extraits vidéo envoyés au comité de sélection le mois dernier.

157

David finit par s'animer. Le vieil enseignant lui sourit derrière ses lunettes épaisses. Les volutes de fumée envahissent la pièce. C'est notre première pause de la journée. Krikorian a saisi l'occasion pour mettre la question sur la table. *Vous m'y avez inscrit sans m'en parler ?... Je n'ai fait que présenter ta candidature, mon garçon. C'est ton talent qui t'a ouvert les portes du concours. Ton interprétation de Bach, Paganini, Mozart.* David se replonge dans la lettre. D'un doigt, il caresse les deux E en miroir surmontés d'une couronne ornant le haut de la page. Le Reine Élisabeth est le plus prestigieux concours musical au monde, c'est un privilège et une chance d'y être admis.

Mon frère tend le courrier au vieillard. *Il doit y avoir une erreur. Une vidéo, ça ne veut rien dire. S'ils m'avaient entendu en vrai, ils ne m'auraient probablement pas laissé concourir...* Krikorian se garde bien de récupérer la feuille frappée du sceau royal, préférant allumer une seconde cigarette de super-marché. *Le seul moyen de le savoir, mon garçon, c'est de t'y présenter pour leur jouer un ou deux airs...* Rire nerveux de mon frère. Je vois au mouvement de ses yeux qu'une lutte farouche s'est engagée en lui. Orgueil contre timidité. Ambition et curiosité contre manque de confiance. La blessure engendrée par *l'accident industriel* du Victoria Hall est encore à vif. *Là-bas, comment ça se passe ? Je veux dire, qu'est-ce qu'il faudra leur jouer ?... Le programme et le règlement sont joints au courrier. Tu n'as qu'à regarder.* Krikorian pose les papiers sur le piano ; David n'a qu'à tendre la main ; l'élève et le professeur se dévisagent en chiens de faïence. Moi je ne tiens plus en place. Je finis par me saisir de la liasse.

La compétition s'organise en trois étapes : une première épreuve d'écrémage durant laquelle les candidats doivent présenter une sonate de Bach pour violon seul, une sonate de Schubert et trois caprices de Paganini, puis une demi-finale où les vingt-quatre musiciens toujours en lice interprètent, sur deux jours, une sonate d'Ysaÿe, un récital de vingt-cinq minutes, puis un concerto de Mozart accompagné par l'Orchestre de chambre de Wallonie. Sur ces vingt-quatre demi-finalistes, douze sont ensuite admis à passer une semaine dans la fameuse Chapelle musicale pour y préparer la finale. C'est un programme hallucinant, une course par élimination où seuls les plus solides et les plus endurants ont une chance. Bien entendu toutes les épreuves se déroulent en public.

David joue toujours au mannequin de cire. C'est à vouloir lui casser son violon sur la tête. Krikorian expire une ultime colonne de fumée, écrase sa cigarette, ouvre son vieil étui en bois, saisit son instrument et le tend à mon frère. *Je pense qu'il te conviendrait mieux que le Vuillaume. Ce serait un bon violon pour Bruxelles. Plus chaud, plus gras que ton violon français.*

J'ai rarement vu les yeux de David à ce point écarquillés. La dernière fois, c'était à Vichy, aux enchères, face aux murs couverts d'instruments précieux. Mon frère tend la main presque malgré lui, c'est une tentation à laquelle il ne peut résister. Cela fait rire puis tousser Krikorian. *Tu ne pourras pas jouer les deux à la fois, mon garçon. Tu n'auras pas assez de bras.* Timide sourire sur le visage bouleversé de l'adolescent. Le voici contraint de ranger le Vuillaume du père dans sa boîte. Il jette un œil

159

à travers l'ouïe fendant la table de l'instrument de Krikorian ; collée à l'intérieur, une étiquette : *Joannes Baptista Guadagnini, fecit Parmae ferviens, 1763.* Et, voulant rendre son violon au vieillard comme s'il lui brûlait les doigts : *C'est bien trop beau pour moi.* Alors, le professeur, allumant une énième cigarette : *C'est une copie, tu sais. Une excellente copie mais une copie. Mon grand-père l'avait achetée à Odessa chez un vieux juif de ses amis. Alors s'il te plaît, mon garçon, pas de chichis pour une simple étiquette. C'est oui ou c'est non ?*

Pour seule réponse, David se lève, prend une poignée de secondes pour accorder l'instrument, puis se lance dans le *Caprice n° 24* de Paganini. Et c'est comme si le diable s'était soudain saisi de lui au milieu des volutes de fumée. Depuis cinq ans, mon frère joue un violon qui ne lui convient pas. Celui de Krikorian est indéniablement plus chaud, plus boisé sur les cordes de *sol* et de *ré*. Un son exceptionnel. Il donne au jeu de David une expressivité que le Vuillaume ne lui permettait pas.

Tandis qu'il joue, j'achève de lire le règlement du concours. Sitôt la dernière page terminée, je jette un regard inquiet au vieux professeur. Celui-ci, sa cigarette entre les doigts, observe son élève briser une partie de ses chaînes. Sur ses lèvres, l'immuable sourire. Je sais qu'il sait. Je sais qu'il connaît déjà le règlement par cœur. Je sais que dans un instant il l'annoncera à mon frère. Il n'y aura pas de meilleur moment, David sera tout à la joie de son nouveau violon. Le temps d'un *Caprice*, il se sera fait à l'idée de participer à la compétition bruxelloise pour y défier une flopée de jeunes virtuoses.

Voilà, mon frère s'est arrêté. Il est encore empli de la mélodie de Paganini. Krikorian, je peux le jurer, va écraser sa Romiennes dans le cendrier. Sans se départir de son sourire, il dira à David que, s'il parvient en finale du Reine Élisabeth, le concerto imposé qu'il lui faudra jouer est l'*Opus 77*. Il lui dira aussi que l'orchestre chargé d'accompagner les finalistes au Palais des Beaux-Arts de Bruxelles est l'Orchestre national de Belgique, et que le chef invité cette année pour le diriger s'appelle Claessens.

*

* *

Chostakovitch aura été le jouet de Staline pendant près de dix-sept ans. Dix-sept années au cours desquelles le gros chat tout-puissant a joué avec la souris, l'étouffant entre ses griffes jusqu'à lui faire entrevoir la couleur de la mort, puis la laissant filer, le temps pour elle de se terrer dans sa terreur, reprendre sa respiration, puis bondissant à nouveau sur sa proie, sous sa moustache un indéfinissable rictus. Et ainsi de suite, une alternance de coups et de faveurs, dix-sept années durant.

Début 1936, Chostakovitch n'a pas trente ans. Il est l'un des musiciens les plus en vue d'Union soviétique. Depuis des mois son opéra *Lady Macbeth* tourne aussi bien à l'étranger qu'en URSS. Mais un article, intitulé « Un galimatias musical », paraît dans la *Pravda*, qui taille sa musique en pièces. On y accuse le jeune compositeur de « formalisme ». Son œuvre est assimilée à un ensemble de sons dissonants et confus, tintamarre, grincements, glapissements... De l'art petit-bourgeois qui joue à

161

l'hermétisme. Un petit jeu, conclut le mystérieux rédacteur, « qui pourrait très mal finir... ».

En réalité, Staline a assisté à une représentation de *Lady Macbeth* deux jours plus tôt. Et il a détesté. Le destin de Chostakovitch vient de basculer. C'est écrit entre les lignes de l'organe officiel du parti. Les critiques incendiaires et les condamnations se multiplient. Le compositeur les réunit toutes dans un épais cahier rempli d'insultes et de menaces. On raconte même qu'il porte en permanence sous ses vêtements, emprisonné dans un sachet de Cellophane, l'article inquisiteur de la *Pravda*, qui serait de la main même de Staline. Désormais Chostakovitch est un ennemi du peuple. La plupart de ses amis lui tournent prudemment le dos. Nous sommes au début de la Grande Terreur. Les déportations, les exécutions sommaires, les arrestations se multiplient parmi les artistes du pays. Certains, parce qu'ils ont osé s'opposer au maître du Kremlin, font l'objet d'une véritable chasse aux sorcières. Boulgakov, Mandelstam, Akhmatova, Meyerhold, Tsvetaïeva. Les nuits de Chostakovitch sont des nuits de veille et d'insomnie. Chaque soir il se couche tout habillé, sa valise prête à côté de son lit, dans l'attente angoissante des coups frappés à sa porte. Bientôt il est convoqué par la police politique. C'est l'époque des grands procès de Moscou. Il risque la déportation. C'est un miracle qui le fait échapper au goulag : l'officier chargé de son dossier a lui-même été exécuté.

Contre toute attente, il est même partiellement réhabilité. On le nomme professeur au conservatoire de Leningrad, puis de Moscou. Sa *Symphonie n° 5* de facture plus classique, est un triomphe. L'horizon semble s'être éclairci. Chostakovitch se met à la musique de films. Il reçoit un premier Prix Staline en 1940 pour son *Quintette Opus 57*. Et sa *Symphonie nº 7* aux accents patriotiques est jouée à Leningrad en 1942, en plein siège, par un orchestre fantomatique et décharné complété par des militaires.

Pourtant, une fois la paix revenue, le retour de bâton est des plus violents. Le chat s'amuse encore avec sa proie. Et c'est à nouveau la *Pravda* qui joue les oiseaux de mauvais augure. Le Comité central du parti condamne officiellement tout formalisme dans l'art. Autant dire que Chostakovitch marche désormais dans la rue avec une cible épinglée dans le dos. Le compositeur de quarante-deux ans apprend qu'il est démis de ses fonctions au conservatoire de Leningrad en lisant un avis placardé au mur. À Moscou, c'est le concierge qui lui refuse les clés de sa classe et l'informe de son licenciement pour *incompétence*. Ses œuvres disparaissent à nouveau des salles de concert. Dans les écoles de musique, on enseigne aux élèves les *immenses torts* qu'il a causés à l'art soviétique. On oblige son fils de dix ans à condamner son père en public.

Nouvelle éclipse. Nouvelle mise à l'index. Nouvelles angoisses d'arrestation. Nouvelles tendances dépressives. Chostakovitch devient un ectoplasme, un automate débitant sur un rythme de mitraillette des déclarations politiques et autres *mea culpa* qu'il n'a pas pris la peine de lire et encore moins d'écrire.

Pendant ce temps, dans le plus grand secret, il travaille à son premier concerto pour violon. Il y utilise de façon obsessionnelle ses propres initiales, DSCH, qui, converties en langage musical, forment les notes *ré*, *mi*-bémol, *do*, *si*. L'*Opus 77*, ou l'unique planche de salut d'un homme acculé au suicide. Jamais peut-être musique n'a davantage symbolisé le combat de la lumière face aux forces obscures.

Et pourtant, l'année suivante, nouveau revirement du pouvoir. Chostakovitch est envoyé aux USA y représenter l'URSS lors d'une conférence pour la paix. On lui promet sa réhabilitation. Deux ans plus tard, il obtient son second Prix Staline pour une œuvre célébrant la campagne de reboisement des forêts sibériennes.

L'ogre qui lui a dévoré le cœur meurt en 1953. Le compositeur a quarante-six ans. Son concerto pour violon, conçu huit ans plus tôt, est créé par David Oïstrakh en 1955. Chostakovitch ne se départira jamais tout à fait de ses attitudes lunaires, de sa manie de répéter des mots en boucle, des morceaux de phrase, des expressions, à la manière d'un disque rayé. Un enfant à tout jamais retiré dans sa coquille.

Tout cela, je le sais parce que c'est toi qui me l'as raconté. Après *l'accident industriel* du Victoria Hall, ton intérêt pour Dimitri Chostakovitch a rapidement viré à l'obsession. À Lausanne, tandis que nous préparions méthodiquement chaque tour du concours, chaque épreuve, chaque morceau prévu au Reine Élisabeth, tu ne parlais que de l'*Opus 77* inscrit tout au bas du programme. Krikorian t'opposait son expérience et sa sagesse : pour avoir une chance de jouer le concerto, il faudrait accéder à la finale ; pour accéder à la finale, il faudrait commencer par passer le premier écrémage. Tu t'enfonçais dans le silence, tu ressassais l'histoire du compositeur russe, ses nuits d'insomnie, ses

164

angoisses insensées et son combat face au Père des peuples.

Ne me dis pas que tu t'identifiais à lui ; ne me dis pas cela.

Si ?

Cadence

*Dans le combat entre toi et le monde,
seconde le monde.*

Franz Kafka, aphorisme

Critique

La vérité est que l'on perd à tous les coups. Se plier au jeu de l'image et de l'exposition médiatique, c'est se consumer dans la lumière, s'égarer, ne plus reconnaître son visage dans le miroir. Refuser les règles, c'est se condamner à la quête solitaire, à l'errance, à l'épuisement ; à force de s'en vouloir d'être passé à côté du succès, on finit par s'assécher, se ratatiner, vieillir avant l'heure.

Enfant, adolescente, je n'en avais guère conscience. J'étais tout à la joie de jouer, de progresser. Le simple contact de mes doigts sur le clavier me procurait la jouissance. Je pressais les touches et la succession de sons sans cesse renouvelés m'emplissait d'un bonheur intense.

J'ai compris à seize ans. J'ai compris à Bruxelles devant le spectacle de mon frère. Toutes les voies sont fatales, il n'y a que des chemins de mort. Désormais femme – et désormais soliste internationale –, je sais. Pourtant, chaque soir ou presque, je monte sur scène ; chaque soir ou presque, je me carbonise un peu plus. C'est plus fort que moi. Nous appellerons cela : l'irrépressible appel de la musique.

169

*
* *

Nous avons pris l'avion dans le plus grand secret, affichant des mines et des manières de conspirateurs. À l'aéroport de Genève, je refusais obstinément de quitter mes lunettes noires, je craignais de tomber sur une connaissance, que sais-je, un musicien de l'OSR ou bien un professeur du Conservatoire, qui serait venu, tout sourire, nous demander, à mon frère ou à moi, ce que nous faisions là, affublés d'un vieillard en débardeur jacquard et d'un vieil étui à violon que David serrait contre son cœur.

Au contrôle de sécurité, il a fallu l'ouvrir parce qu'il refusait de s'en séparer. L'instrument de Krikorian était devenu le sien. Au fil des semaines et des répétitions, il se l'était approprié, en avait fait le prolongement de ses bras, de ses mains, de sa voix, aussi. David, déjà si peu bavard, s'était réfugié dans un silence dont il sortait de plus en plus rarement. Ce n'était pas de la fébrilité. Plutôt un état de concentration dans lequel il s'était plongé sitôt acceptée l'idée de participer au Reine Élisabeth. Il paraissait économiser son souffle, percevoir instinctivement qu'il en aurait besoin pour affronter la montagne, pour passer le premier tour, franchir le gouffre des demi-finales, et accéder enfin à l'*Opus 77*.

Quatre-vingt-quatre. C'était le nombre de candidats cette année-là, présélectionnés après le visionnage de centaines de vidéos postées depuis les quatre coins du monde.

Quatre-vingt-quatre, c'était le nombre de jeunes musiciens qui allaient s'affronter, à peine descendus

170

du train ou de l'avion, formés dans les meilleures écoles, les meilleurs conservatoires, par les meilleurs professeurs.

La plus jeune avait seize ans et en paraissait treize. Le plus âgé, vingt-six. Sagement assis aux premiers rangs du grand auditorium de Flagey, ils faisaient face au jury international qui allait présider au supplice initial, celui-là sans violon ni archet : le tirage au sort. Douze jurés et éminents solistes – dont trois Russes –, derrière leur table interminable. Isaac Stern, en son temps, les nommait *la rangée d'assassins*.

Chaque candidat se lève à l'appel de son nom, descend l'allée centrale, monte sur scène d'un pas plus ou moins assuré, salue *les assassins*, puis plonge une main anxieuse dans une espèce de pot dont il finit par tirer un numéro. Ce petit bout de papier, il faut le faire tourner bien haut ; les plus bravaches vont jusqu'à le crier fort. C'est l'ordre d'appel à ce vaste rituel d'exécution publique qu'est le Reine Élisabeth.

Le pire est déjà sorti ; c'est un Américain qui, dès le lendemain, se présentera le premier à ses bourreaux ; lorsque le malheureux a sorti le chiffre 1, la salle entière a frémi, de soulagement ou de compassion.

C'est au tour de mon frère. Il est le seul à monter saluer avec sa boîte à violon sous le bras. L'étui en bois et les vêtements qu'il porte depuis des mois lui donnent une allure de saltimbanque. Va-t-il tirer son instrument et leur jouer un petit air, comme il le fait parfois sur le marché de la Riponne, contre quelques piécettes ?

Je me retourne constamment sur mon fauteuil, j'inspecte les gradins. Pourtant – je me suis rensei-

171

gnée en douce –, à cette heure-ci, Claessens est encore à Genève, il n'a pas fait le déplacement pour assister au tirage au sort. Il est fort à parier qu'il ignore encore tout de la participation de David au concours. Le chef invité ne sait pas qu'il risque de diriger son propre fils en finale.

Pour l'heure, mon frère plonge la main dans le pot, fouille à l'intérieur, sort le petit carton, le considère un long moment, le plie en quatre et le fourre dans sa poche, puis, sans un mot, sans un regard pour le jury ou l'auditoire, amorce de quitter la scène. On le rappelle. Quelques rires fusent. Il faut montrer son numéro, c'est le règlement. Il faut que chacun voie quelle place on prendra dans la file des condamnés à l'exploit. David revient sur ses pas, brandit son papier : quatre-vingt-quatre. Il passera en dernier. C'est lui qui, tout au long de la compétition, laissera la dernière impression.

Le concurrent a mis sa main en visière. Il semble aveuglé par la lumière des projecteurs et peine à retrouver les marches menant au parterre. Il erre de long en large, sa boîte à violon dans une main, son numéro dans l'autre, égaré, pris au piège des phares au beau milieu de la nuit noire. Un membre du comité d'organisation esquisse un geste, mais déjà le vieillard vêtu d'un débardeur jacquard s'est levé dans les gradins. Il descend l'allée centrale, s'approche du plateau, jusqu'à y poser la main, jusqu'à ce que son visage s'inscrive dans le faisceau des projecteurs, puis il fait signe au fils Claessens, qui se libère enfin de sa colonne de lumière.

Si la saynète est anecdotique pour le public, les membres du jury n'en ont pas raté une miette. Tous, ils scrutent le vieil homme à l'accoutrement démodé, convoquant de lointains souvenirs. Et lorsque Krikorian adresse aux douze *assassins* un discret signe de tête, les trois Russes, en bout de table, lui retournent son salut comme un seul homme.

*
* *

À Lausanne, Krikorian et moi avions pris l'habitude de marcher jusqu'à la gare, toute proche, après les répétitions. Nous descendions la rue piétonne du Petit-Chêne sans dire grand-chose, laissant simplement le travail de la journée résonner dans nos mémoires, faire son chemin dans nos têtes et nos corps. Pendant ce temps-là David rentrerait chez lui, dans les hauteurs de la ville, tout à côté de l'hôpital. Une fois dans sa chambre, il s'étendrait sur son lit au-dessus duquel il avait pris pour habitude d'accrocher l'instrument du vieux professeur, puis il rêverait à Bruxelles, à l'*Opus 77*, avant de reprendre son violon pour une ultime séance de travail avant de sombrer dans le sommeil.

Les premiers jours, nous nous étions quittés dans le grand hall, Krikorian et moi, sous le panneau d'affichage. Mon train pour Genève était annoncé. Je lui disais poliment au revoir. J'ignorais tout de sa trajectoire. Je m'enfonçais dans le passage sous voies tandis qu'il caressait des yeux la vitrine de la boulangerie de la gare. Je l'imaginais s'offrir une brioche, une tartelette aux myrtilles ou au citron. Je le voyais gourmand sans être gastronome, plutôt friand de sucreries malgré sa silhouette gracile.

Puis, un après-midi, il m'a proposé d'aller boire un café. J'ai consulté la liste des départs, le temps de réfléchir. Des trains pour Genève, il y en avait tous les quarts d'heure. Je n'avais aucune excuse, rien d'autre à faire, sinon accepter son invitation et sauter dans l'inconnu de cet échange hors du Conservatoire. Nous nous sommes assis au Buffet de la gare. Le vieillard y était dans son élément. Le décor n'avait pas dû changer depuis cent ans. Aux murs, toujours les mêmes peintures, des représentations du lac en long, en large et en travers, au printemps, en été, en hiver. Il a commandé un thé noir et une pâtisserie maison.

Je m'attendais à un bombardement de questions, sur ma famille, sur notre enfance à David et à moi. Après tout, je lui servais de clé pour accéder au coffre-fort où s'était enfermé mon frère. Avec ma complicité et sa patience infinie, il l'en faisait sortir morceau après morceau, note après note, comme font les dresseurs de serpents. Mais au lieu de cela, il me parla de lui, de son histoire, de sa jeunesse, tout en dégustant tranquillement sa part de tarte aux poires.

Issu d'une famille de commerçants aisés, il était né dans ce qui était alors la République soviétique d'Arménie. Son grand-père, violoniste amateur, avait été son professeur et lui avait offert son premier violon adulte, le seul qu'il eût jamais joué. Remarqué, encore adolescent, pour son talent évident, il avait quitté son pays natal pour étudier au prestigieux conservatoire Tchaïkovski à Moscou. Il y avait suivi l'enseignement de David Oïstrakh, l'un des plus extraordinaires violonistes du siècle mais aussi l'un des plus grands pédagogues. Oïstrakh l'avait encouragé à se présenter au concours des États de l'Union soviétique avant même sa sortie du Conservatoire. Krikorian y avait remporté un premier prix censé lui ouvrir les portes d'une carrière de soliste. Dans les années cinquante, après la mort de Staline, les musiciens russes commençaient tout juste à se produire hors de leurs frontières. D'abord dans les pays du bloc communiste, puis, de plus en plus souvent, en Occident. Les concerts, les concours internationaux, représentaient une occasion rêvée de faire valoir la supériorité de l'école soviétique ; ses artistes trustaient les premières places dans toutes les compétitions, que ce soit au piano ou au violon.

Dans ce contexte de propagande acharnée, le jeune Krikorian avait été retenu pour participer à une tournée dans les Républiques populaires. Un véritable test avant de l'envoyer promouvoir le communisme par-delà le rideau de fer. Bien entendu, le programme était imposé, et un concerto au-dessus de tout soupçon y avait été inscrit, celui de Beethoven, dont on ne pouvait supposer qu'il attirerait les foudres de la censure politique ou des antimodernistes. Mais le diable se loge dans les détails. Ainsi un fonctionnaire du parti était-il venu trouver Krikorian peu avant son départ, lui demandant quelle cadence il comptait jouer pendant sa tournée. La cadence, ce solo placé au cœur des grands concertos, où le violoniste a en théorie toute liberté pour improviser. En réalité, il est rare que les solistes proposent leur propre version, préférant reprendre celle composée par un illustre aîné, Joachim, Kreisler... En l'occurrence, le jeune Krikorian avait choisi celle de Leopold Auer agrémentée de quelques inflexions personnelles. Le fonctionnaire lui avait aussitôt opposé une fin de non-recevoir. Auer était hongrois, et la Hongrie n'était guère à la mode étant donné les événements des derniers mois. Cela se passait en

175

1957, peu après l'écrasement de l'insurrection à Budapest. Et le jeune violoniste avait eu beau protester, arguant que sa musique n'avait que faire des considérations politiques, il n'avait pu fléchir l'apparatchik.

Durant toute la tournée, en Pologne, en RDA, en Tchécoslovaquie, Krikorian avait obéi docilement. Mais le dernier soir, à Budapest précisément, il n'avait pu s'empêcher de jouer la cadence interdite, comme un pied de nez aux censeurs qui ne connaissaient rien à la musique. Pour enfoncer le clou, il avait interprété une danse hongroise au débotté en guise de rappel, et la salle entière s'était levée pour l'applaudir de longues minutes.

Krikorian avait repoussé son assiette, désormais vide, dans un coin de la table. Il n'y restait que quelques miettes et une serviette en papier, froissée. Je n'avais pu m'empêcher de demander : *Et qu'est-ce qui s'est passé ensuite ?...* Il m'avait regardée de longues secondes sans rien dire, derrière ses lunettes aux montures carrées, sur ses lèvres l'inaltérable sourire, modeste, discret, plus impénétrable que jamais. *Ce fut la fin de ma courte carrière de soliste.* Puis il avait réglé l'addition et consulté sa montre ; le prochain train pour Genève partait dans moins de cinq minutes.

Je l'avais perdu de vue sur un quai de gare, sous la lumière grisâtre de la grande verrière, silhouette gracile et fantomatique ballottée par la foule pressée des heures de pointe. Pourquoi m'avait-il raconté tout cela ? Que s'était-il passé à son retour en URSS ? Quand et comment était-il arrivé en Suisse ? Et à quoi pouvait-il bien occuper ses soirées ? À ressasser sa carrière avortée ? À regarder passer les

176

trains, jusque tard le soir, jusqu'à la réouverture du Conservatoire où, dès le lendemain matin, il retrouverait mon frère ?

*
* *

Je vous l'ai déjà dit, non ? Lorsque mon frère entrait en scène, il allait directement se placer quelques centimètres derrière la croix en adhésif fluorescent désignant l'emplacement du soliste. Et durant tout le concert ou presque, il jouait en fixant cette petite croix, qu'il soit seul face au public, ou bien accompagné d'un pianiste, voire d'un orchestre symphonique. Cette façon qu'il avait de se couper de tout et de tous frisait la provocation, du moins aux yeux de certains observateurs ; mais pas aux miens.

Lorsque lui et moi étions associés, notre duo se passait du moindre regard, du moindre signe perceptible aux spectateurs. Il suffisait à l'un de se caler sur la respiration de l'autre pour être au même diapason. David m'emmenait en lui et je l'attirais en moi. Et quiconque assis dans les fauteuils en face était invité aussi, pour peu qu'il fasse l'effort de se projeter au-delà des apparences. Car voyez-vous, avec David, il y avait peu à regarder et beaucoup à entendre. Le paradoxe de l'interprétation est que la façon la plus directe de communiquer avec le public est d'oublier son existence.

Cette façon de jouer, je le conçois, pouvait agacer, surtout à notre époque où tout artiste se doit d'étaler grassement ses émotions comme le beurre sur la tartine. Je vous invite à faire le test : allez chercher les captations vidéo du premier tour ou de la demi-finale à Bruxelles, et veuillez couper le son.

177

Regardez-le se tenir droit comme un cyprès derrière sa petite croix, la tête inclinée sur la gauche, l'oreille collée à la table d'épicéa. Vous le trouverez sans nul doute ennuyeux, rapiat de ses émotions. Laissez passer quelques minutes encore, toujours sans le son, et bientôt le spectacle de ce garçon parfaitement immobile en dehors de ce bras droit qui s'agite en tous sens vous paraîtra insupportable, voire terrifiant. Il vous viendra l'envie de l'abattre, ce Claessens, à coups de fusil ou de hache, bref, de tout faire pour qu'il cesse.

Vous me suivez toujours ? Maintenant portez votre attention sur sa main gauche. S'il faut vous focaliser sur un détail visuel, c'est bien celui-là. (C'est un conseil que je vous donne en général, vous en ferez ce que vous voudrez : chez un musicien, regardez toujours les mains ; évitez le visage comme la peste. Les mains ne portent pas de masque, celui de l'émotion feinte, de l'extase de pacotille. Les mains sont incapables du moindre mensonge, tandis que le visage, lui...) Regardez-la danser sur son manche, cette main gauche, regardez-la courir, sautiller, caracoler sur l'ébène en toute liberté. J'ai souvent eu la sensation que le monde de David se limitait à cette touche de bois noir. Une trentaine de centimètres tout au plus, qu'il écumait inlassablement jusqu'à ce que cette réglette d'écolier soit à l'échelle de l'univers. David savait qu'il n'aurait pas assez d'une vie pour ce voyage au long cours, cet éternel aller-retour ; quatre octaves et quatorze positions de haut en bas du manche, un continent que des générations entières de musiciens n'étaient pas parvenues à cartographier de façon définitive.

Durant les éliminatoires, fort heureusement,

nous avons joué avec le son. Quand tous les candidats soignaient leur apparence et s'avançaient sur scène en costume du dimanche, en robe de bal, mon frère s'est présenté – comment vous dire ? – en habits du lundi matin, pantalon informe et chaussures éculées.

J'étais avec lui en coulisses, ma partition de sonate sous le bras. Dans un instant nous marcherions sur scène, mon frère pour faire sonner le violon d'un vieil Arménien acheté à Odessa cent ans plus tôt, moi pour l'accompagner au piano. Je me souviens du regard du régisseur plateau chargé de nous donner le top départ, sa manière de nous jauger ; je me souviens de son petit sourire derrière son casque-micro tandis que dans les haut-parleurs une voix annonçait le candidat suivant, *n° 84, David Claessens, Suisse.* Je me souviens de sa remarque à destination de ses collègues en régie chargés d'envoyer la lumière. Dix mots à peine, murmurés dans son petit micro, de son petit accent bruxellois, au moment même de notre entrée en scène : *C'est la Belle et la Bête, ces deux-là...*

Pour être honnête, je garde assez peu de souvenirs de ce premier tour. Je suis restée sagement assise à mon piano, le temps que David interprète sa sonate de Bach pour violon seul. Puis nous avons joué Schubert comme si nous nous étions trouvés dans le salon des Tranchées. Le grand auditorium de Flagey, le public, le jury, les autres candidats et la compétition, tout cela n'existait pas, ou n'était qu'anecdote. Nous étions là, David et moi, comme toujours, comme depuis l'enfance, nous protégeant mutuellement de l'orage. Le frère et la sœur, yeux fermés, blottis l'un contre l'autre, jouant avec les

179

notes comme avec la pluie martelant le toit de notre refuge secret, de notre grotte. Sur scène comme ailleurs, tant que nous serions ensemble nous resterions en vie, et la musique continuerait de circuler dans nos veines.

Les applaudissements nourris nous ont sortis de notre bulle. Le public avait aimé. Les commentaires, les pronostics quant au dossard 84, le dernier à passer, allaient déjà bon train. Nous étions de retour dans le monde réel. *La Belle et la Bête*, comme avait dit l'autre imbécile.

Le soir même, nous avons appris que David était qualifié pour la demi-finale.

Trois jours plus tard, nous y avons interprété *Tzigane* de Ravel pendant l'épreuve du récital. Vous connaissez ce morceau, n'est-ce pas ? David et moi l'avions joué je ne sais combien de fois dans notre adolescence, mais jamais en public. Le violoniste progresse seul dans sa partition virtuose pendant plus de quatre minutes, dans le plus pur style des improvisations tziganes, avant que l'échange avec le pianiste s'engage et se poursuive en une folle conversation.

Je me souviens de cette attente. David qui n'en finit plus de monter et descendre sur sa corde de *sol*, seul, tout seul, et le violon de Krikorian, puisant dans le son râpeux des rhapsodies populaires, prêt à se fendre de plaisir sous les doigts de mon frère. C'est une jouissance de l'entendre jouer. C'est tout aussi insupportable d'être renvoyée au rang de spectatrice, seule, toute seule, sans possibilité aucune de le rejoindre avant quatre longues minutes ; c'est la partition qui le dit, et la partition est formelle. Les tables de la Loi selon Maurice Ravel. Et moi, gonflant d'impatience. Il me faut jouer à tout prix avec lui. Entrer dans le jeu avant qu'il ne s'éloigne trop, qu'il disparaisse à jamais. Et les secondes qui passent, sans fin, et les notes, et les temps, et les silences, longs comme le jour ; les mesures défilent avec une lenteur exaspérante ; mon entrée est si loin encore, si loin, un petit point, une tête d'épingle à l'horizon.

Je me souviens de cet instant où, enfin, nous nous retrouvons, le frère et la sœur. Les touches roulent sous mes doigts. Tout près de moi, j'entends sa respiration à lui qui s'accélère. Ensemble nous montons vers les hauteurs, sous mes yeux les notes s'affranchissent de la portée. Le violon de David geint et soupire, assume ses dissonances avant de revenir à moi, à mon piano. Comme nous nous amusons de tout cela. Rires, *pizzicati*, impudents et impudiques. Enlacés, nous tournons et tournons au vu et su de tous. Pause. Silence. Ricanements étouffés du clavier. Enfin le tempo s'accélère vers l'emballement final. Une véritable locomotive lancée à pleine vapeur que ce morceau de M. Ravel. Mes bras, mes épaules, ma nuque me font mal tellement nous jouons vite et fort. Nous atteignons la note finale.

Que le silence qui suit est bon aussi. David fixe sa croix au sol. Je garde les yeux baissés sur le clavier. Tous deux hors de souffle. Viennent les applaudissements. D'abord comme des gouttelettes sur un toit de tôle, puis la pluie s'intensifie, se fait averse d'été. Ma peau, ma robe, mes sous-vêtements, je suis trempée. Et dans la salle, ceux-là qui ont tout vu, tout entendu, se sont levés et crient *Encore, encore, encore !*

*

*   *

181

À l'automne dernier, j'ai participé à un concert caritatif en faveur de la lutte contre le cancer. Nous nous sommes succédé sur scène, tous musiciens de haut niveau, violonistes, guitaristes, flûtistes, violoncellistes, altistes, nous avons joué chacun un ou deux morceaux, dit un petit mot dans le micro, puis la marraine de l'association nous a emmenés dans son appartement du 7e arrondissement y finir la soirée. Là-bas il y avait un gros jouet noir pour moi – un Bösendorfer Imperial – et beaucoup de vodka.

Vers une heure du matin, ceux qui étaient restés ont saisi leur instrument et je me suis installée au clavier. Il y avait toutes les nationalités, russe, serbe, allemande, israélienne, américaine ; nous parlions toutes les langues à la fois. Les improvisations et les fous rires fusaient. Je fouillais dans le coffre à partitions de la maîtresse de maison, j'en sortais d'improbables sonates que je mettais mes camarades au défi de déchiffrer sur-le-champ. Vers deux heures du matin, la fatigue et l'alcool aidant, les premiers bégaiements, les premières pertes d'équilibre ont fait leur apparition. Ce n'est que vers trois heures que les fausses notes ont commencé à se multiplier. Les verres et les bouteilles vides s'accumulaient sur le 290 mais il restait encore pas mal de place sur le couvercle laqué, et le chemin jusqu'à l'aube paraissait encore long. Je n'avais pas bougé un instant de mon tabouret sinon pour aller pisser. J'avais cessé de compter les vodkas versées dans mon gosier, mes doigts fonctionnaient merveilleusement, souples, sensibles, déliés ; je déchiffrais les partitions inconnues avec une désespérante facilité. J'usais mes partenaires un par un, de plus en plus titubants, au souffle court, aux doigts gourds, aux archets imprécis.

Sur les coups de cinq heures, nous ne nous sommes plus retrouvés que deux, un violoniste ukrainien et moi, Ariane Claessens. Les autres étaient rentrés à leur hôtel ou bien ronflaient, ivres morts, dans les fauteuils et les canapés en velours. Au fond du coffre à partitions, j'ai mis la main sur une sonate de je ne sais plus quel compositeur, peut-être Scriabine, et j'ai défié mon soliste international qui avait toutes les peines du monde à maintenir son instrument à plus d'un million calé sous son menton. Il avait oublié ses derniers mots d'anglais au fond de son verre. À nous deux nous devions dépasser les cinq grammes d'alcool dans le sang.

Moins de dix minutes plus tard, il posait son Strad parmi les cadavres de Stolichnaya pour aller vomir. Le pauvre garçon jouait comme un gamin de huit ans.

La maîtresse de maison, qui luttait elle-même contre un cancer du sein et avait pris soin toute la nuit de ses invités musiciens, s'est assise sur le tabouret, à côté de moi, puis elle a caressé doucement mes cheveux. *Je vous ai bien observée, Ariane. Comme tout le monde ici, vous avez beaucoup bu. Je vous ai écoutée aussi. Je ne crois pas avoir entendu la moindre fausse note. Pas une seule en une nuit.* Elle avait des yeux clairs et tranquilles. Sa main sur mes cheveux faisait un bien immense. C'était la main d'une mère sur la tête de sa fille.

Le jour commençait à poindre à la fenêtre. J'avais du mal à me détacher de cette main si apaisante. Elle l'a posée sur mon visage et j'ai réalisé que c'était pour en chasser mes larmes.

J'ai refermé le couvercle au-dessus du clavier. J'étais si fatiguée.

La vraie virtuose de classe mondiale, c'est celle qui cuve une cuite à coucher un bataillon ou un orchestre philharmonique sans faire une seule fausse note. Je m'en doutais déjà.

*
* *

Vous me suivez toujours, n'est-ce pas ? – moi je n'y peux rien si le Reine Élisabeth est aux musiciens classiques ce que le décathlon est aux dieux du stade : une compétition de force et d'endurance où chaque note, chaque démanché, chaque coup d'archet peut vous faire trébucher.

Trois jours après avoir joué Ravel et mis Flagey en ébullition, David passait la seconde épreuve des demi-finales : Mozart, *Concerto n° 4 en ré majeur* avec l'Orchestre royal de Wallonie. J'étais désormais condamnée à suivre la fin de la compétition depuis la salle. J'avais fait mon travail d'accompagnatrice sur les épreuves de récital. Sur la route de mon frère ne se dressaient plus que des concertos. Mon père, qui dirigerait l'Orchestre national de Belgique en finale, n'avait toujours pas fait son entrée.

Krikorian s'activait en coulisses, passant ses journées à tomber *par hasard* sur des membres du jury, les trois Russes en particulier, qui semblaient en savoir plus que moi sur la trajectoire brisée du vieil Arménien. Je les voyais palabrer, de loin, entre deux portes, captivés par ce que Krikorian avait à leur raconter. Tôt ou tard, entre les souvenirs, les éclats de rire, les évocations d'Oïstrakh et Richter, il leur parlerait de mon frère, de son talent, de son jeu, de son urgence vitale à s'exprimer par le violon.

Derrière chaque grand soliste il y a un grand enseignant. On dit parfois que tous ces concours internationaux où s'affrontent des musiciens à peine sortis de l'adolescence ne sont en réalité qu'une façon de départager leurs illustres aînés. Certains observateurs se risquent à deviner le classement final de la compétition dès le tirage au sort, le premier jour, simplement en consultant la liste des candidats ; à côté de chaque jeune violoniste doit être indiqué le nom de son professeur, qui, parfois, fait partie du jury.

Ce concerto de Mozart, David l'a joué comme dans un rêve. Je dois vous dire que je l'ai vécu comme un cauchemar, soudain privée de mon frère, collée à mon siège numéroté, spectatrice passive et impuissante tandis qu'il s'envolait dans la lumière. Et lorsque, le soir venu, la liste des finalistes a été divulguée, j'ai compris que ce sentiment de solitude et d'abandon ne faisait que commencer. David, comme tous les autres, devait maintenant s'éclipser dans la Chapelle musicale, coupé du monde et de sa sœur.

La Chapelle Reine Élisabeth n'a rien d'un bâtiment religieux. Elle a été construite à la fin des années trente, à une quinzaine de kilomètres de Bruxelles, pour y accueillir de jeunes musiciens en résidence. Lors du grand concours annuel, elle se mue en véritable forteresse, le temps pour les douze artistes encore en lice d'y préparer leur finale, en reclus ; les articles 30 à 32 du règlement sont des plus clairs :

185

30. Les finalistes entrent à la Chapelle musicale dans l'ordre fixé par le tirage au sort, à raison de deux par jour. La semaine passée à la Chapelle musicale doit permettre aux finalistes de se préparer sereinement à l'épreuve finale.

31. L'épreuve finale commencera une semaine après que les premiers finalistes seront entrés à la Chapelle.

32. Pendant cette période, les finalistes ne pourront pas communiquer avec des personnes étrangères aux services de l'administration du concours. Ils devront se soumettre aux règles prescrites par la direction. Ils se rendront aux répétitions d'orchestre aux jours et heures qui leur seront indiqués, accompagnés d'une personne désignée par la direction.

Personne n'entre ; personne ne sort. Ordinateurs et téléphones interdits. Violons, partitions, accompagnateurs *désignés par la direction*, et *basta*. Et l'on est prié de ne pas plaisanter avec le règlement.

De par son tirage au sort, mon frère a rejoint la Chapelle en dernier ; le hasard l'avait associé à ce Coréen au visage impassible dont les *connaisseurs* avaient fait leur favori. Le temps d'une nuit, le bâtiment a dû résonner du son de douze violons, fébriles, studieux, privés de leur professeur mais prêts à en découdre, chacun disposant d'un petit studio de répétition. Puis, dès le lendemain, les deux premiers finalistes ont quitté la Chapelle pour se présenter au public, au jury, à l'Orchestre national de Belgique, à son chef invité, et jouer ainsi leur avenir sur quelques notes de musique. La finale s'étalerait sur six jours à raison de deux candidats par jour. C'était le temps qu'il faudrait à la Chapelle pour se vider progressivement. Six jours. C'était le temps de ma condamnation à vivre sans mon frère.

Je dois vous dire que j'ai craqué. Pas le premier soir, non, tout de même. Mais peut-être le deuxième ; oui, peut-être bien. J'ai pris un taxi jusqu'à Waterloo, chemin de la Chapelle musicale, j'ai dit au chauffeur de me déposer devant le portail, *Ça m'a l'air fermé, vous savez, mademoiselle... Ne vous inquiétez pas, monsieur, j'ai la clé. Je vous dois combien pour le trajet ?...* J'ai attendu que la Mercedes à damiers jaunes s'éloigne puis j'ai cherché un passage pour escalader la grille. Il devait être pas loin de minuit.

J'ai marché entre les arbres du parc, prenant soin d'éviter les allées de gravier, ombre furtive et silencieuse. Il y avait un petit bassin où se reflétaient les fenêtres encore éclairées de la Chapelle. C'est là que je me suis postée, derrière l'épais rideau de guirlandes d'un saule pleureur, face à cette grande maison immaculée qui semblait flotter dans la nuit.

Laquelle était-ce, celle de mon frère ? Laquelle de ces cases de lumière et de verre ? Logeait-il à l'étage ou bien au rez-de-chaussée ? L'air était doux, c'était déjà la fin du mois de mai. À travers les fenêtres entrouvertes, je les entendais répéter malgré l'heure avancée, au son de l'*Opus 77*. J'essayais de repérer le violon de Krikorian, celui acheté à Odessa par son grand-père, mais ils étaient encore trop nombreux là-dedans pour qu'il me soit possible d'isoler la voix de mon frère.

Le lendemain, deux autres musiciens ont quitté Waterloo pour le Palais des Beaux-Arts de Bruxelles. Le soir venu, ils n'étaient plus que huit à la Chapelle. J'ai compté les fenêtres allumées sur la façade du bâtiment, ouvert grand mes oreilles. Longtemps, j'ai guetté l'instrument de mon frère, mais cette fois encore je ne suis pas parvenue à l'isoler des autres.

Les nuits suivantes, ils n'ont plus été que six, puis quatre, mais je n'arrivais toujours pas à l'entendre par les fenêtres ouvertes. Je rentrais à Bruxelles épuisée, transie, en manque, sur les coups de trois ou quatre heures. Dans le couloir de l'hôtel, un fil de lumière brillait invariablement sous la porte voisine de la mienne. C'était la chambre du vieil Arménien revisitant ses insomnies.

Le dernier soir avant la finale de mon frère, je me suis à nouveau postée sous le saule pleureur de Waterloo. Cette fois j'étais venue plus tôt, pensant que David se coucherait de bonne heure. Deux carrés de lumière se détachaient encore sur la façade blanche, l'un à l'étage et l'autre au rez-de-chaussée ; tous deux se reflétaient à la surface du petit bassin mais, dans la nuit, un seul instrument jouait ; ce n'était pas le violon d'Odessa, mais bien celui du Coréen. Alors j'ai compris.

En rentrant à l'hôtel, j'ai trouvé la porte de Krikorian entrebâillée. Par l'embrasure filtrait une forte odeur de cigarette. J'ai frappé. Il était assis sur son lit, encore tout habillé. C'était la première fois que je le voyais sans ses lunettes. Il me fixait de son regard de chouette. Il avait l'air encore plus vieux que d'habitude. Il ne m'a pas même demandé d'où je venais à cette heure-ci de la nuit.

Toute la journée, une folle rumeur avait gonflé dans les coulisses du Palais des Beaux-Arts : on racontait que David Claessens avait renoncé purement et simplement à ses répétitions avec l'Orchestre national de Belgique. Et certains, qui certifiaient tenir l'information de la direction elle-même, informée de tout ce qui se passait à la Chapelle musicale, allaient jusqu'à affirmer que le jeune Claessens s'était enfermé dans le silence depuis six jours, et que pas une fois il n'avait touché à son violon.

*
* *

Je ne montre jamais mon dos à mes amants, pas plus que je ne les laisse passer la nuit dans mon lit. L'acte consommé, ils s'en retournent Dieu sait où, dans leur chambre d'hôtel ou chez eux. Parfois femme et enfants les y attendent ; cela ne me regarde pas. Chacun chez soi.

Je ne leur montre jamais mon dos car il est constellé de grains de beauté. En concert, je m'interdis tout décolleté plongeant vers mes reins. Devant, oui, possiblement, selon l'humeur et le répertoire du moment. Derrière, non, c'est tout à fait proscrit.

Tous les six mois je passe sous l'œil de métal et de verre d'un scanner ultra-perfectionné. La machine répertorie, mesure, mémorise le diamètre de chaque tache sur ma peau. Il y en a des centaines. Chacune est une bombe en puissance. Parfois le dermatologue m'annonce que l'une d'elles grandit trop, qu'il va falloir l'ôter d'un coup de bistouri. Un grain de beauté en moins. Une cicatrice de plus. Il y en a des dizaines. Entre les îlots bistrés et les cratères blanchâtres, mon dos a des allures de mer lunaire dont les médecins, deux fois par an, depuis ma petite enfance, dressent la carte inquiète.

Une fois, il y a plusieurs mois de cela, j'ai baissé la garde le temps d'une nuit d'été, à Saint-Pétersbourg. Je me suis endormie. J'étais si fatiguée. Toute la soirée, j'avais lutté contre le chien noir. Je l'avais maintenu à distance au prix de mille efforts, luttant pour sortir chaque note, chaque inflexion de l'instrument et de mon corps. J'ai préféré marcher après le concert plutôt que d'aller boire un verre. L'hôtel était à dix minutes à pied. Un clarinettiste a proposé de me raccompagner, ni beau ni laid, aux cheveux noirs de jais. J'ai accepté sa proposition parce que je me sentais au bord de tomber, et parce que sa voix était douce et berçante ; j'ai réalisé après coup qu'il avait le timbre de son instrument – il jouait de la clarinette basse –, un peu voilé, plein de nuances.

Après l'amour, il m'a prise à son propre silence. Avec moi, les hommes se sentent obligés de parler. Ils cherchent à prolonger l'instant. Ils ont conscience d'avoir pénétré ma chair sans rien avoir conquis. Alors les mots coulent. Inquiets ou fiers, ils sortent pour combler le vide, tenter de retenir cette chevelure rousse qui déjà s'éclipse dans la nuit.

Le clarinettiste, lui, s'est contenté de m'offrir sa respiration, calme et profonde, comme seuls les joueurs d'instrument à vent en possèdent. Le monde entier semblait plongé dans un état de stase dicté par le souffle tranquille d'un musicien russe. C'était si bon. Tellement inhabituel.

Lorsque j'ai rouvert les yeux, le jour semblait levé depuis longtemps. J'ai senti la lumière sur mon dos nu, et aussitôt après, sa main, aussi légère sur mes reins que son souffle était lourd. J'ai voulu me tourner, masquer à son regard, à son toucher, ce qu'aucun de ces hommes de passage n'avait eu l'occasion de voir. Mais mes muscles refusaient d'obéir, comme si cette paume au creux de mon dos avait eu pour effet de prolonger l'engourdissement de la nuit.

Allez savoir ce qui m'a traversé l'esprit, je lui ai demandé pourquoi il parlait si bien le français, presque sans accent.

Tu ne te souviens pas de moi, alors ? Je m'en doutais.

Il avait étudié au conservatoire de Genève, durant toute une année. Nous avions dû nous y croiser en pleine adolescence. Dans ma mémoire nulle trace de sa noire tignasse, aucun souvenir de sa clarinette basse.

Cela ne m'étonne guère. Tu ne m'as jamais accordé le moindre regard. Tu n'en avais que pour ton frère. J'habitais rue Toepffer, tout à côté de l'église orthodoxe. Le matin je vous suivais à distance, toi et David, sur le chemin du Conservatoire. Tu étais très garçon manqué, à l'époque. Je n'ai jamais osé t'adresser la parole. Tu m'aurais envoyé tes partitions à la figure. Tu en avais toujours plein les bras, de pleines liasses, que tu laissais tomber par terre dans les couloirs, en classe, partout, sur les trottoirs.

Je suis enfin parvenue à me retourner et j'ai remonté les draps sur ma peau. *Tu es réveillé depuis longtemps ?... Je n'ai pas dormi. En ce moment le soleil sort de terre entre trois heures et trois heures et demie. Tu venais à peine de fermer les yeux que le jour se levait... Mais qu'est-ce que tu as bien pu faire pendant tout ce temps ?... Je t'ai regardée, puisque le temps m'était compté... Tu as vu mon dos, alors ?... Ton dos est comme une partition de blanches et de noires. Je l'ai apprise par cœur parce que je savais que je n'aurais qu'une seule occasion de la lire. Je l'ai apprise par cœur pour pouvoir la rejouer de mémoire. Ta peau, Ariane, est la plus belle musique jamais écrite.*

191

Je me suis assise sur le lit, face à la fenêtre. Le drap est tombé, je ne l'ai pas relevé.

Une drôle de chaleur me gagnait, ni invasive ni agressive. C'était comme de sentir la caresse du soleil sur ma nudité ; curieusement, je n'éprouvais aucun danger à lui exposer mon dos. Peut-être était-ce ce soleil-là précisément, ce soleil russe de six heures du matin, qui seul pouvait m'apaiser, qu'il me fallait juger inoffensif, enfin.

Dehors, le dôme de la cathédrale Saint-Isaac étincelait de mille reflets dorés.

Derrière moi, le clarinettiste continuait, imperturbable, de respirer.

*
* *

Mon père était entré en unité de soins palliatifs. Je passais une partie de mes journées avec lui, dans sa chambre, à tenter d'alimenter des conversations qu'il n'était plus capable de soutenir. La fonction du langage se dégradait à toute vitesse. D'un jour sur l'autre, on pouvait entendre la différence. Les mots sortaient, anarchiques, hésitants, bégayés, intervertis, sans que l'on puisse en saisir le sens, puis soudain Claessens s'enfermait dans le silence, comme s'il avait vu la mort en face. Son corps, lui aussi, s'asséchait. Petit à petit, la vie s'en allait. À chaque visite, le périmètre de ses mouvements s'était réduit un peu plus. J'avais sans cesse en tête la chanson de Brel : *Du lit à la fenêtre, puis du lit au fauteuil, et puis du lit au lit.* Je passais quelques heures avec lui puis quittais la clinique, laissant les infirmières gérer les hauts et les bas, l'épuisement, les douleurs, la colère et les crises de violence.

192

Je conduisais beaucoup, faisais de longs détours ; j'écumais les sinueux itinéraires de montagne, côté Jura suisse ou côté Alpes françaises. Je m'arrêtais dans les stations-service, discutais mécanique avec le pompiste qui finissait toujours par m'offrir un café au distributeur automatique. Le gobelet fumant à la main, nous ouvrions le capot moteur de la 911 et nous lancions dans d'interminables conversations. Moi-même, je devenais machine. Et quand le pompiste finissait par me demander si j'étais libre pour aller boire un verre après la fermeture, je lui répondais simplement que mon père était en train de mourir. Alors je repartais au hasard, retrouvant mes repères lorsque, au détour d'un virage, j'entrapercevais, au loin, le lac et les premières lumières du soir.

J'évitais le Valais. J'évitais Sion.

Je rentrais rue François-Le-Fort à une heure avancée. Je laissais le Steinway fermé. La simple vision des touches noires et blanches me donnait la nausée. Je me contentais de laisser passer les heures jusqu'au petit matin. Je m'étais remise à fumer.

Et puis, un soir, je ne sais plus exactement comment ça s'est passé, je suis entrée dans la chambre de mon frère et mon regard est tombé sur son étagère, celle au-dessus du lit, où s'alignaient non pas les partitions mais les romans, ceux qu'il avait lus dans son adolescence, dans les rares moments où il laissait ses mains et son violon au repos. Quelques auteurs américains, beaucoup d'Allemands. J'ai bien vite délaissé les gros volumes, je n'avais pas la tête à cela, je n'aurais jamais pu me concentrer au-delà d'une cinquantaine de pages. J'ai choisi les deux plus petits, les deux plus fins, des éditions de poche aux couvertures cornées et fatiguées, et, un cendrier posé sur le ventre, une cigarette entre les lèvres, je me suis allongée sur ton lit.

Bartleby de Melville.

Le Terrier de Kafka.

À l'intérieur, certains passages soulignés par tes soins.

L'invention du silence, voilà ce qui s'est passé à la Chapelle musicale, n'est-ce pas ? Dans ce lieu dédié aux sons, aux notes, aux tempi, aux inflexions, tu as fait l'expérience du retrait. *Je préférerais ne pas*, dit Bartleby, puis il se laisse lentement glisser vers le mutisme le plus complet.

Là-bas, dans la grande maison blanche à Waterloo, tandis que tous les autres répétaient nuit et jour à en avoir le bout des doigts et le creux du cou en sang, tu pendais ton violon à un clou comme tu avais pris l'habitude de le faire dans ta petite chambre d'étudiant à Lausanne, mais cette fois-ci tu l'y laissais pour de bon. Tu t'asseyais sur une simple chaise à l'assise de paille, te perdais des heures durant dans la contemplation des murs blancs. L'*Opus 77*, tu le jouais dans ta tête. Encore et encore et encore, jusqu'à ce que l'œuvre et toi ne fassiez qu'un, jusqu'à ce que la partition du compositeur russe devienne ta propre respiration et que ses souffrances soient les tiennes.

Dans *Le Terrier*, Kafka décrit la construction d'une prodigieuse citadelle souterraine, édifiée par un mystérieux animal. Son obsession : se protéger de l'ennemi quel qu'il soit, grouillant à la surface, et, par-dessus tout, du bruit du monde.

Dans la montagne au-dessus de Sion, tu as creusé toi aussi ton terrier. Te souviens-tu seulement ? Une fois tu m'y as laissée entrer. C'était presque deux ans après l'avoir acquis auprès de l'armée. Tu venais de finir de l'aménager, de tout repeindre en blanc. Une fois seulement, tu as laissé entrer ta sœur à l'intérieur. Sur la table de travail, j'ai vu les partitions de l'*Opus 77* couvertes d'une écriture serrée. Tu ressassais les mêmes pensées en laissant ton violon prendre la poussière. J'ai quitté le bunker parce que tout à coup j'ai eu peur. C'est toi, David, par ton geste insensé, qui m'as fait fuir de peur.

Bartleby meurt en prison. Melville s'est tu pendant trente ans sans publier un seul récit. Quant au *Terrier* de Kafka, il est resté inachevé. Le texte s'arrête au beau milieu d'une phrase, *note de l'éditeur*, ça ne te rappelle rien, mon frère ? Parmi les artistes qui se sont réfugiés dans le silence, sais-tu, très peu ont trouvé une porte de sortie. Toujours, elle débouchait sur un monde tragique et noir.

Tous, nous fuyons quelque chose. Nous cherchons la porte de sortie. Nous pensons que c'est cela, l'existence. Certains, les plus forts d'entre nous, parviennent à faire comme si de rien n'était. Toi tu as décidé qu'il n'y avait rien à fuir, qu'il n'y avait rien à faire, pas moyen de s'échapper, alors tu restes assis dans ta chambre, cloîtré, à regarder le mur, à griffonner tes partitions.

À quoi tient la trajectoire d'une vie ? À son père. À sa mère. À son frère ou à sa sœur. À ses échecs, à ses succès. À la musique qu'on entend et aux livres qu'on lit.

Sixième et dernier jour de finale. Le Coréen vient de passer. Il a été éblouissant dans le concerto de

Chostakovitch. Le Palais des Beaux-Arts lui a fait un triomphe. Sur son visage, j'ai lu, l'espace d'un bref instant, tandis qu'il saluait, l'ombre d'une émotion.

Dans les jours précédents, un Russe a fait forte impression, sorte de clone d'Oïstrakh, physique de déménageur, les doigts plus gros que des saucisses, dans son jeu une finesse insoupçonnable. Une petite Allemande, aussi, à la jolie frimousse, à la blondeur rafraîchissante, à la technique impressionnante, qui a fait chavirer les spectateurs pas plus tard qu'hier soir.

Il n'en reste plus qu'un. Dossard 84. D'ici une vingtaine de minutes, à la fin de l'entracte, il se présentera sur scène, face au public, cerné par les musiciens de l'Orchestre national de Belgique dirigé par son chef invité, l'enfant du pays qui a préféré s'exiler en France puis en Suisse, Claessens.

Pour l'heure, mon père est dans la salle – je vous l'ai raconté, n'est-ce pas ? ; je ressasse, rumine comme une vieille canasse ; j'ai l'impression de rejouer en boucle le même passage, encore et encore, c'est une véritable horreur ; *da capo*, m'intime la partition, *reprends depuis le commencement*, rejoue, Ariane, rejoue toujours les mêmes mesures ; tu verras bien ce qu'il en sort, de ton inconscient ou d'ailleurs.

Il serre des mains, Claessens – tandis que David s'échauffe en coulisses –, remonte l'allée centrale, tout sourire, salue professionnels, critiques et *connaisseurs*, s'immobilise enfin face à moi, assise au bout de la rangée F, m'embrasse, exhibe ses dents blanches, dans ses yeux une immense tristesse. Pendant des semaines, nous avons préparé cette compétition sans lui en toucher le moindre mot. Il n'a appris la participation de son propre fils au Reine Élisabeth qu'en arrivant à Bruxelles. Dans la foulée on lui a dit que David renonçait à son service de répétition, qu'il préférait jouer l'*Opus 77* sans raccord. C'est-à-dire sans voir son père.

Lui et moi peinons à trouver les mots. J'ai l'impression que le Palais des Beaux-Arts tout entier nous observe. D'un doigt, il balaye une mèche rousse sur mon front, *C'est du suicide, rouquine. C'est du suicide, ce que va faire ton frère.*

Même rangée, place d'à côté, Krikorian s'est levé. Le masque de publicité pour dentifrice réapparaît aussitôt sur la face de Claessens. Le vieil Arménien lui tend la main, le sonde derrière ses lunettes épaisses. Il a le visage grave. Aujourd'hui le professeur a renoncé à son sourire, à son armure, il n'est qu'une ville ouverte aux vents, aux juges internationaux et aux envahisseurs. Mon père lui rend sa poignée de main, fait mine de repartir, puis soudain, dans un murmure, *Merci, monsieur. Merci pour mon fils.* Nous nous regardons, Krikorian et moi. Déjà Claessens est au niveau de la rangée K.

Plus haut encore, vers le fond, là où les places sont les moins chères, il fait une nouvelle pause. C'est une vieillarde au cheveu rare, à la peau blanche et parcheminée qui s'est levée à son approche. Minuscule et douloureuse, elle agite sa canne en direction du chef d'orchestre, le fixe sans un mot, de ses petits yeux enfoncés dans leurs orbites. Lui, dans son habit des grands soirs, s'avance, se penche sur ce gilet vieillot, ce visage cartonneux, l'embrasse sur les deux joues. Comme il a soudain l'air d'un petit garçon, mon père ! Et comme il a perdu son sourire publicitaire ! Est-ce cela, la famille de Belgique,

197

celle que nous n'avons jamais pu voir ? Est-il sorti de ce ventre-là, mon père ? Est-ce sur sa propre enfance qu'il se penche ainsi, sur ce quartier populaire des Marolles où il a grandi ? Est-ce tout cela qu'il embrasse sur les joues de cette femme qui sent déjà le pin du cercueil, est-ce tout cela qu'il considère à moins de vingt minutes de ce concert suicidaire où père et fils, pour la première fois en une vie, vont jouer sur la même scène, devant deux mille personnes, devant les *connaisseurs* et les plus grands professionnels, après tant de notes jouées en l'air, après tant de mots jetés par les fenêtres, après ce long silence aussi, cette longue bouderie qui a suivi *l'accident industriel*. Ils seront si près l'un de l'autre, quelques centimètres à peine, cernés par cet orchestre symphonique ; ils seront si près qu'ils pourront s'étreindre à la moindre envie, ou s'écharper au premier incident.

Krikorian me prend le poignet. Sa main est moite et glacée.

Tu n'as pas faim, Ariane ? Moi si. Sortons d'ici un instant.

*   *
*   *

Cette photo d'Horowitz qui m'accompagne de ville en ville, de concert en concert, et que j'affiche sur le miroir des loges, c'est celle de juin 83. Horowitz a quatre-vingts ans. Pour la première fois de sa carrière, on ne sait trop pourquoi, il a accepté de se produire au Japon alors qu'il a une peur panique de prendre l'avion. La télévision nippone doit assurer la captation de cette soirée nécessairement mémorable.

Bien entendu l'arène où se tiendra le récital sera pleine à craquer.

Mais Horowitz va mal. Depuis des mois il a replongé. Il abuse des antidépresseurs et s'adonne à la boisson sur le tard.

Ce soir-là, il se présente sur scène totalement hagard, le pas mal assuré, les mains tremblantes. Il met un temps fou à rejoindre son instrument, comme s'il savait déjà ce qui l'attend. Il ne parvient pas à trouver ses marques, n'en finit pas de régler la hauteur de son siège. Enfin, il tire un mouchoir de sa poche gauche, s'essuie longuement les mains, hésite, abandonne le carré de tissu sur les cordes puis se lance dans un supplice qui durera plus d'une heure trente. Fausses notes en cascade, trous de mémoire, erreurs grossières – Beethoven, Schumann, Chopin –, le Steinway de concert a le son d'un Pianola désaccordé. L'un des plus grands artistes du siècle est en train de faire naufrage devant les caméras de télévision. Et, entre chaque pièce, entre Beethoven et Schumann (dont il joue *Carnaval* !), puis entre Schumann et Chopin, Horowitz se lève tel un pantin et sourit à la salle, qui l'applaudit à tout rompre et lui lance des bravos par gerbes entières.

Puis, sur un dernier accord à la hauteur de tout le concert, il rempoche son mouchoir, se lève, marchotte sur scène, sourit, sourit encore à la manière d'un vieux clown épuisé par les milliers de représentations, qui n'en peut plus de tourner en rond dans la sciure, qui n'en peut plus de l'odeur de la sueur et des animaux, qui n'en peut plus des rires et des applaudissements idiots, qui n'en peut plus de tout ce cirque. Il a le regard vide, le regard d'un mort. La salle s'est levée et lui fait un triomphe. Horowitz, hagard, n'en finit plus de sourire.

Je regarde longuement cette photo avant d'entrer moi-même en scène. Je l'ai tirée de la captation vidéo qui, bien entendu, n'a jamais été diffusée, à la télévision japonaise pas plus qu'ailleurs. Horowitz lève le nez de son clavier et fixe la caméra un court instant. Il a le front ridé, les bajoues tombantes, le crâne jaune et dégarni, les oreilles en chou-fleur ; son nœud papillon est de travers ; il est au cœur de son calvaire, à la fois Lear et son bouffon.

Je plonge mes yeux dans les siens, épuisés, vaincus. Dans cinq minutes, ce sera mon tour de me présenter dans la fosse aux lions. Je pense au courage qu'il a fallu à ce vieillard, peut-être le plus grand pianiste de tous les temps, pour boire le calice jusqu'à la lie, jouer jusqu'à la dernière note de ce concert maudit. La force inouïe. La volonté de marcher à tâtons dans le brouillard, à la recherche de son âme perdue.

Lorsqu'il sort de scène ce soir-là, Horowitz replonge dans une énième dépression. Les *connaisseurs* ne donnent pas cher de sa peau : *Cette fois c'en est terminé de lui, c'est à Tokyo que le roi aura fini par rendre les armes.*

Alors, patiemment, à quatre-vingts ans passés, Volodia se met à reconstruire.

Trois ans plus tard, après une longue période de réclusion, Horowitz repart pour une dernière tournée vers ses origines et sa jeunesse – Moscou, Saint-Pétersbourg –, et vers les villes qui lui ont offert ses premiers succès, soixante ans plus tôt – Hambourg, Berlin.

C'est un triomphe.

Et chaque soir, ses mains volent au-dessus du clavier comme au jour de ses vingt ans.

*
* *

Ils m'attendaient chez moi à mon retour de Budapest, installés à la table de la cuisine. La porte n'avait pas été forcée. Ils s'étaient préparé du café. Et dans mes tasses il y avait des cigarettes écrasées. J'avais encore mon violon dans une main et ma valise dans l'autre, je ne savais pas où les poser, mon propre appartement m'était devenu étranger. Ils portaient tous les deux des pardessus – l'un noir et l'autre gris souris – et des chapeaux mous assortis. On a fini ton café, *a dit l'un.* Il n'en restait presque plus, *a dit l'autre*, il faudra penser à en racheter... Oui, *j'ai répondu*, de toute façon il fallait que je redescende faire une course. *Alors le pardessus noir m'a avancé une chaise,* Tu ne veux pas t'asseoir ? *et j'ai compris que l'épicerie attendrait.*

J'avais fini par abandonner ma valise sur le carrelage. Le violon, je l'avais gardé sur mes genoux. Le pardessus noir a montré l'étui verni d'un geste du menton, C'est l'instrument de ton grand-père, c'est ça ?... Comment vous le savez ? *j'ai dit, mais l'autre a fait comme s'il n'avait rien entendu. Le gris souris a pris le relais,* Il est encore de ce monde, ton grand-père ?... En quoi ça vous concerne ? *j'ai dit...* Il vit toujours en Arménie, c'est ça ?... Peut-être bien, *j'ai dit...* Avec le reste de ta famille ?... C'est pas vos affaires, *j'ai dit...* Ton père, ta mère, ta petite sœur ?... *Cette fois, je n'ai rien répondu. Alors l'autre, le noir,* Ah oui, la petite sœur, Lusine, c'est ça ? Une jolie petite brune. Qu'est-ce qu'elle étudie,

201

déjà, Lusine ? *Et son complice, le gris souris,* Les mathématiques, à ce qu'il paraît, elle veut venir ici... À l'université de Moscou ?... Oui !... *Et ils ont ri.*

Alors le noir a dit Prenons le temps d'y réfléchir, *et ils ont allumé chacun une cigarette. Le pardessus gris a dit* Toi tu ne fumes pas, si ?... Non, j'ai dit, la fumée me fait tousser.

Il s'est passé quelques minutes dans le silence le plus complet. À un moment donné, un chien a aboyé dans la rue, et puis le calme est revenu. Je pouvais entendre leurs cigarettes se consumer, le grésillement chaque fois qu'ils tiraient dessus.

Ils ont fini par les écraser dans mes tasses à café, et puis le gris souris a dit : Ton grand-père, il vit toujours en Arménie, n'est-ce pas ?... Vous me l'avez déjà demandé, *mais l'autre a fait comme s'il n'avait rien entendu.* Avec le reste de ta famille, c'est ça ? Le père, la mère et la petite sœur, c'est ça ?... Mais je vous ai répondu, *j'ai dit, et l'autre, le noir,* Comment qu'elle s'appelle, déjà, la petite sœur ? *Alors le gris souris a sorti un carnet de sa poche revolver et a dit* Lusine, c'est ça ? Elle s'appelle Lusine... C'est ça, une jolie petite brune. Et qu'est-ce qu'elle étudie, déjà, Lusine ?... *Et le gris souris, consultant de nouveau son carnet,* Les mathématiques ; imagine-toi qu'elle voudrait venir étudier ici... Ici à Moscou ?... Ici à Moscou... *Et ils ont ri.*

Alors, le noir, qui avait l'air d'être le chef, a dit Prenons un moment pour y réfléchir, *et ils ont rallumé chacun une cigarette.*

Ma cuisine s'emplissait de fumée. Le gris souris la rejetait par le nez sans cesser de me fixer ; le noir, lui, expirait par la bouche, en contemplant mon plafond, et son souffle grisâtre émettait un curieux sifflement

202

qui remontait de ses poumons. *Il s'est passé encore quelques minutes où seul le chien dehors a donné de la voix, puis les deux pardessus ont écrasé leurs mégots dans mes tasses à café.*

Ton violon, c'est un cadeau du grand-père, non ?... *Alors j'ai balbutié* Mais qu'est-ce que ça veut dire, tout ça ? C'est à cause de la cadence à Budapest, c'est ça ? *puis j'ai détourné le regard parce que je commençais sérieusement à avoir peur. Le noir a demandé* Ta famille, elle vit toujours en Arménie ? Ton grand-père, et ton père, et ta mère. Et la petite sœur aussi. Ils sont en Arménie, n'est-ce pas ? *J'ai demandé s'il était possible d'entrouvrir la fenêtre et l'un des deux pardessus, je ne sais plus lequel, a secoué la tête en disant qu'il faisait froid dehors et qu'il n'y avait pas de raison de gâcher le chauffage à l'intérieur. Puis il m'a encore demandé ce que ma petite sœur étudiait, et j'ai réalisé que j'avais de plus en plus de mal à respirer. J'ai déboutonné mon col de chemise pendant que l'autre répondait* Les mathématiques, si je m'en souviens bien, c'est elle qui veut venir étudier à Moscou... À l'Université d'État ?... À l'Université d'État... *Et ils ont ri.*

Puis l'un des deux, peut-être cette fois était-ce le gris souris, a dit Il faut y réfléchir, *et ils ont allumé chacun une cigarette. L'immeuble entier semblait s'être muré dans le silence. Personne ne circulait dans les couloirs, comme si tous mes voisins avaient été au courant, comme s'ils avaient su quel genre de visiteurs j'étais en train de recevoir. Jusqu'au corniaud dehors qui avait cessé d'aboyer. Je sentais la transpiration glacée dégouliner sous mes aisselles.*

Les pardessus ont écrasé leur énième cigarette. Mes tasses débordaient de mégots. Je voyais à peine le bout de la pièce tellement la fumée était dense, pourtant Dieu sait si ma cuisine moscovite était petite. *Le pardessus noir a fini par se lever, bientôt suivi du gris souris. Ils m'ont reposé les mêmes questions, cette fois debout, mais toujours sur le même ton, et soudain j'ai compris. Je n'avais pas vingt-cinq ans, j'étais un violoniste en fin de carrière.* Le violon, c'est celui de ton grand-père ?... Oui... Il est toujours en Arménie, ton grand-père ?... Oui... Avec ton père, avec ta mère ?... Oui... Avec ta sœur aussi ?... Oui... Et qu'est-ce qu'elle fait ta sœur ?... Des mathématiques... Ce n'est pas elle qui voulait venir étudier à Moscou ?... Si... Tu penses que ce sera encore possible ?... Je ne sais pas ; ça dépend de vous, je crois...

Le pardessus gris a tiré son paquet de cigarettes pour constater qu'il était vide. Il a eu l'air contrarié et l'a chiffonné dans son poing. Puis il a dit Il n'y a plus de café, tu sais... Oui, *j'ai dit,* je sortirai en acheter quand je rentrerai chez moi. *Ma réponse a eu l'air de les satisfaire, surtout le pardessus noir, parce que alors il a dit* Prépare tes affaires. Tu peux laisser ton violon ici, tu n'en auras pas besoin là où tu pars.

Krikorian a regardé sa montre, puis il a poussé sa part de tarte à peine entamée vers un coin de la table. Il est resté ainsi un moment, le regard perdu dans le vague, ou peut-être vers son passé. Je n'ai pas pu m'empêcher de lui demander s'il regrettait. *Regretter quoi, jeune fille ?...* D'avoir joué cette cadence-là à Budapest. Il m'a considérée à l'abri de ses lunettes, comme s'il ne s'était jamais véritablement posé la question. Son sourire s'est évanoui, ses traits se sont creusés, son visage a vieilli. *Comment savoir ? J'ai passé le restant de ma vie à payer pour ces*

204

quelques minutes. Je suis devenu une sorte de contor-
sionniste. Il fallait en faire assez pour se faire
expulser ; mais si l'on en faisait trop, vois-tu, on finis-
sait en prison, ou chez les fous. Pourtant, ce soir-là, à
Budapest, j'ai tutoyé la perfection, tu sais, et mieux
encore, la liberté.

Il a allumé une cigarette. La serveuse derrière
son comptoir l'a fusillé du regard et la Romiennes à
peine entamée a fini dans la tarte aux poires.

La sonnerie marquant la fin de l'entracte a retenti.
Les derniers spectateurs ont quitté le foyer du Palais
des Beaux-Arts.

Viens, Ariane. Voici l'heure d'écouter ce que ton
frère a à dire.

*
* *

Ils s'avancent sous les applaudissements, fendant
les rangs des musiciens d'orchestre, le fils devant, le
père derrière. Claessens se hausse sur son petit
podium, vingt centimètres au-dessus de la masse,
tandis que David se place, comme à son habitude,
derrière sa minuscule croix blanche.

Regard circulaire de mon père, inspection des
troupes avant la bataille, remobilisation générale,
baguette prête à battre l'air. Déjà la main gauche
des violoncellistes vibre sur le manche quand l'archet n'a pas même effleuré les cordes graves. C'est la
douzième et dernière fois de la semaine que Claessens dirige l'Orchestre national de Belgique ; la douzième et dernière fois, à raison de deux par jour, qu'il
joue l'*Opus 77*. Les onze premières, les musiciens
et leur chef se sont montrés solides, à l'écoute des
jeunes candidats cernés par les cordes et les vents,

205

par la peur et l'ambition. Il s'agit de tenir le cap de ce gigantesque navire lancé à pleine vitesse tout en laissant le maximum de place au soliste, car ici, à Bruxelles, chacun des douze finalistes espère repartir avec un précieux certificat de naissance, un morceau de papier sur lequel on pourra lire en lettres capitales, « Premier prix du concours Reine Élisabeth ».

Mais David ne participe pas à la même bataille. Il n'est pas là pour gagner une compétition. C'est son existence d'homme, le passage de l'adolescence à l'âge adulte, qui se joue ; et s'il faut lui en trouver un, c'est bien ce monsieur au frac noir, celui qui dirigera l'orchestre dans un instant, qui fait office de rival.

Contrebasses, violoncelles, puis violon solo. David se lance. Ses premières notes sont pures et limpides. Son bras ne tremble pas. Bientôt les premiers et seconds violons, les altos, les clarinettes et les clarinettes basses se joignent à la meute grondant autour du jeune garçon. Lui, parfaitement immobile, à l'exception de son bras droit, de sa main gauche, garde son calme, comme si les loups au pelage charbon n'étaient pas à ses trousses. Claessens, tignasse poivre et sel, commande sa horde au doigt et à l'œil ; seul ce fils, comme fasciné par une petite croix blanche, s'entête à ne pas lui rendre ses regards.

Pourtant, et c'est une évidence sur ces premières mesures, ils sont à l'unisson, le soliste et l'orchestre ; ils se renvoient le son comme s'ils se connaissaient par cœur, depuis toujours, ce qui, d'une certaine façon, est bien le cas. Nulle trace ici de cette rencontre ratée, plus tôt dans la semaine, cette répétition à laquelle le jeune Claessens a refusé de se rendre sans que personne parmi les membres de l'organisation ne puisse tirer de lui la moindre explication hormis ces quelques mots énigmatiques, frisant l'insolence : *Je préférerais ne pas quitter la Chapelle.*

Ambiance crépusculaire. C'est bien Chostakovitch qui l'a voulu ainsi dans son premier mouvement, *Nocturne* ; et comme ils y réussissent, le père et le fils, comme ils parviennent à restituer la noirceur de la nuit, les jeux d'ombres, les non-dits. Toute une vie de rivalité et d'incompréhension étalée là sur scène, devant les caméras de télévision et les deux mille spectateurs du Palais des Beaux-Arts.

À mi-mouvement, là où l'obscurité est la plus dense, la harpe et le célesta font entendre deux séries de huit notes cristallines, comme un signal au milieu des ténèbres : voilà la direction à prendre, la lumière est par là. Mais cela ne suffit pas à éclaircir quoi que ce soit, ni à les rapprocher, le père et le fils, qui se tiennent à moins d'un mètre de distance – il suffirait qu'ils tendent l'un sa baguette et l'autre son archet pour se toucher. Tout au contraire, mon frère s'enfonce dans la dissonance dictée par la partition de l'*Opus 77*. Il est de plus en plus seul sur ce chemin nocturne, fasciné par la croix blanche entre ses pieds, qui semble sur le point de se fendre, de s'ouvrir en une immense matrice prête à l'absorber tout entier. Et face à lui, Claessens, dont on ne voit que le dos, bat des bras, fantoche aux gestes saccadés, impuissant à tirer son fils vers la clarté.

Ainsi se conclut *Nocturne*, par une note harmonique que David va chercher tout en haut de son manche, d'une simple caresse, main grande ouverte, sur la corde de *mi*, et cette note qui expire sonne comme un avertissement : entre le père et le fils il n'y a plus qu'un fil.

Fin du premier mouvement.

Deux mille personnes soudain toussotent, se mouchent, s'agitent sur leurs deux fesses. Le bruit, la vie sont de retour. Les préoccupations quotidiennes, les tracas incessants, les angines à répétition du cadet, les mauvaises notes de la grande à l'école, l'odieux petit chef au bureau, les pannes, les grèves, les embouteillages, les disputes sur la date des vacances... Deux mille personnes qui soudain pensent à respirer, retournent, pour une poignée de secondes, à leur propre existence, avant de replonger. Pendant près de douze minutes, David Claessens leur a fait tout oublier ; plus rien n'existait hormis le son sortant de son instrument ; il suffisait d'entendre le silence dans la salle, assourdissant, pour comprendre que le premier volet de sa performance était monumental.

*
* *

L'un de ses principaux biographes associe Chostakovitch à la figure du *iourodivy* russe. *Iourodivy*, que l'on traduirait ici par *fol-en-Christ*. Le compositeur a joué avec le gouffre de la folie toute sa vie, écartelé entre la terreur de la répression, les incessantes compromissions et son désir de poursuivre une œuvre inclassable qui n'avait pas l'heur de plaire au parti et à ses censeurs. Le fol-en-Christ moyenâgeux se fait passer pour un idiot, se dépouille de tous ses biens matériels et se réfugie dans l'ermitage de sa démence, errant à moitié nu, s'exprimant par énigmes pour mieux dénoncer l'absurdité de la condition humaine, et parfois aussi la barbarie du pouvoir. Dépouillés de leur peur, débarrassés de toute convention sociale, simplement parce qu'ils sont *ailleurs*, les *iourodivy* disent leur fait aux puissants. Et personne, pas même les tsars, n'ose s'en prendre à eux. L'Église orthodoxe va même jusqu'à les reconnaître parmi ses saints et bienheureux.

Oui, Chostakovitch a fait office de fol-en-Christ contemporain. Et le deuxième mouvement de son concerto pour violon, composé dans la tourmente de la dictature stalinienne, retranscrit ses errances et ses peurs mais aussi ses révoltes. Qui d'autre pour les exprimer ce soir-là sur la scène du Palais des Beaux-Arts ? Qui d'autre que toi, mon frère ?

Cette *danse à travers les larmes* voulue par le compositeur russe dans son *Scherzo*, tu vas l'incarner dès la première note, sitôt les toussotements terminés. Oh, personne ne te verra danser sur scène, que les choses soient bien claires, tu n'es pas du genre à t'agiter en tous sens pour faire voir l'émotion qui t'habite ; droit, immobile et fier, tu le demeures quel que soit le mouvement, quel que soit l'instant ; mais ton violon, lui, oui, ton violon s'agite, frénétique, grimaçant, moqueur, malgré la douleur et l'angoisse, bien que l'orchestre te tienne en joue sous l'œil inquisiteur du chef. Car tu évolues à la limite du tempo imposé par l'homme à la baguette, cherchant à t'évader, à les tirer vers ta révolte et ta colère, sans pour autant quitter des yeux ta petite croix blanche ; une mutinerie, voilà ce que tu fomentes sans trop en avoir l'air.

Et savez-vous le plus beau ? Une section se laisse

tenter par la danse, flûtes, hautbois, clarinettes basses. Non pas que les musiciens soufflent des vents contraires sur leur despote à tous, Claessens, l'homme au frac noir ; le tempo ne varie guère malgré l'agitation certaine du garçon au violon au milieu de la nasse ; quoi alors ? ; voici : c'est comme si la folie du *iourodivy*, ses gesticulations et ses grimaces gagnaient l'orchestre entier. D'ailleurs l'agitation se lit dans les corps ; pas celui de mon frère, non, combien de fois faudra-t-il vous le dire ? ; mais dans ceux des musiciens tout autour ; il faut voir leurs visages, joues rouges, fronts luisants ; ça jouit tout en jouant, ça prend des airs canailles ; si tout ce beau monde avait les mains libres, je peux vous garantir qu'il y aurait des bras d'honneur en pagaille ; des langues dehors, et d'autres encore qui montreraient leur vieux cul flasque ; seulement voilà, nous sommes en plein concert, en plein Palais des Beaux-Arts, et chaque section d'orchestre est composée de grands professionnels qui préfèrent insuffler cet instant de pure déraison dans leur instrument pour mieux le projeter dans les airs.

J'ai oublié le meilleur, les cordes, les violons, les violoncelles s'y mettent aussi ; je vous le garantis, leurs *pizz* sont pires que des piqûres de moustique ; c'est à se donner des claques sur la nuque dans le public. Si bien que le tempo, malgré la vigilance acérée du gardien de la Loi, s'accélère sous la pression conjuguée du soliste et de l'orchestre. C'est beau à entendre, c'est beau à voir, un vaisseau fait de chair, de notes, de bois et de métal, qui file à toute vitesse vers la conclusion de ce *Scherzo* du diable, et pas moyen pour le capitaine d'en reprendre la maîtrise, tout s'en va à vau-l'eau dans une admirable consistance.

Comprenez-vous maintenant ? Comprenez-vous ce qui se passe ? Le jeune Claessens fait souffler un vent de folie sur Bruxelles. Un truc à faire sortir feue Reine Élisabeth du catafalque royal. C'est sa main gauche à lui, vous comprenez, pas celle à la baguette, pas celle de Claessens père, mais celle du fils, je vous dis, celle qui danse sur le manche du violon d'Odessa, c'est bien cette main-là, en équilibre instable sur quatre cordes de métal, qui commande au cœur des musiciens et du public.

David incline la tête vers son instrument ; je sais qu'il sonde en lui, profond, profond, lorsqu'il colle son oreille ainsi sur la table d'harmonie. C'est sa manière à lui de s'isoler, de rester pur ; il sait qu'il vient de prendre le pouvoir. L'*iourodivy* est intouchable. Ni les tsars ni les dictateurs ne pourront l'empêcher de jouer sa musique comme il l'entend. Et pour la première fois, ce visage juvénile, habituellement si blanc et sec, se pare de couleurs, brille de rigoles de sueur qui pleuvent en gouttelettes, de son menton, de son front, et bombardent comme par un fait exprès la croix blanche à ses pieds.

Scherzo s'achève en un orgasme collectif. Silence soudain. Cette fois pas de toussotements. Dans la salle, deux mille statues, figées, soufflées, dont on entend à peine la respiration. Mon frère, lui, exhale un soupir sans fin. Le violon a quitté le creux de son cou, exhibant l'inamovible marque rouge imprimée dans sa chair. Il est à bout, exsangue. Il a donné sans compter, mais nous ne sommes qu'à la moitié du concerto. David, il te reste la *Passacaille* ! Il te reste l'immense *Cadence* et le *Burlesque* !

Tu essuies ton visage d'un revers de manche, surpris, exaspéré par cette averse qui mouille jusqu'à ton instrument. Tu tiens à peine debout. Où trouveras-tu l'énergie de jouer jusqu'au bout ? *Nocturne* et *Scherzo* t'ont épuisé plus que de raison. Au bout de ton bras, pendu le long de ton corps, ton instrument paraît peser une tonne.

Alors une main se tend vers toi. C'est celle de l'homme au frac noir. Elle vient enfin capter ton regard, te tirer du sombre sous-sol où tu t'es enfermé. Et, pour la première fois du concert, vous vous regardez, le fils et le père. *Viens, fils*, disent ses yeux ; *Suis-moi*, dit sa main. *Aie confiance. Je ferais tout pour toi. Ensemble nous irons jusqu'au bout, nous finirons de jouer ce concerto et tu marcheras, pur et fier, vers la victoire. Je t'aime tant, fils. Je t'aime tant.*

*
* *

Que faut-il vous jouer de plus ? Moi aussi, je suis épuisée. J'ai l'impression d'être au clavier, de vous raconter cette histoire depuis des heures, peut-être même des jours. Qui me tendra la main, ici ? Vous n'avez pas encore compris ? Moi aussi, je voudrais faire comme Kafka, disparaître dans mon terrier, m'arrêter en plein milieu d'une phrase, *note de l'éditeur*, et le lecteur ou l'auditeur – c'est tout comme – serait prié de se débrouiller seul. Après tout, chacun est libre de s'inventer une fin, de s'ériger en compositeur de ce récit, de faire sa propre lecture des événements. Mais alors on m'accuserait d'être faible, de ne pas être à la hauteur de ma réputation de soliste internationale.

J'ai passé ma vie à presser des touches, tantôt

noires, tantôt blanches, à en souffrir, à en jouir, parfois à ne plus savoir quoi faire de ce gros instrument qui prenait tant de place. Cette ombre noire sous mon piano, c'est une flaque de sang. Toutes ces années ne m'ont enseigné qu'une seule leçon, un jour il faudra bien que je me décide à l'appliquer : *la vraie richesse, le vrai succès, c'est avoir la force de faire silence.*

*
*   *

Cette leçon, c'est toi qui me l'as apprise, ce soir-là, à Bruxelles.

Voici venu, chers spectateurs, le temps de la *Passacaille.*

Le chef lance ses troupes d'infanterie – cors, timbales, violoncelles, contrebasses, rien que du lourd, et Dieu sait si ce début de mouvement convient bien à Claessens, pompeux, autoritaire, grandiloquent. Chostakovitch l'*iourodivy* a fait preuve de la plus cinglante ironie. Mais cette première minute aux accents martiaux est aussi l'une des seules dans tout le concerto où le soliste peut reprendre son souffle. Et c'est ainsi que Claessens procède : tempo lent et lourd ; pendant ce temps, David récupère ; et lorsqu'enfin il se lance à son tour, l'orchestre, qui quelques instants plus tôt défilait avec la pesanteur d'une parade militaire sur la place Rouge, se fait soudain léger comme un corps de ballerines en chaussons et tutu. Les cordes progressent sur la pointe des pieds. *Pizzicati. Sotto voce.* Tout est fait pour qu'il se sente en confiance, lui, le garçon longiligne qui joue sa vie ce soir, dont on pensait qu'il ne repartirait jamais à l'assaut de la

213

seconde moitié du concerto. Et c'est bien l'homme en noir debout sur son podium qui veille à lui laisser la place. La meute est muselée sur ordre du dresseur. David s'avance, son violon respire à nouveau et l'émotion reprend ses droits.

Ils ont encore cette pudeur insatiable, le père et le fils ; de nouveau, leurs regards s'évitent, pourtant le lien est là, en train de se tisser ; Claessens guette la main gauche de son fils sur le manche du violon d'Odessa ; David guigne la main droite de son père, celle qui tient la baguette. Ainsi, à distance, ils se tiennent par la main et marchent de concert dans cette *Passacaille*, prenant les musiciens, le public et le jury à témoin de cet apprentissage de l'amour.

Les mesures défilent. Et ce mouvement habituellement mélancolique s'emplit d'espoir et de lumière. Enfin, Claessens pose un doigt sur ses lèvres, éteint le son de son armée noire, lui intime le silence. Les instruments s'abaissent. La baguette du chef repose désormais sur son pupitre, inutile. C'est le moment de la *Cadence*, long tunnel solitaire, d'une grande difficulté technique, dont personne, aucun soliste, aussi talentueux et expérimenté soit-il, ne sort jamais indemne.

Et cela commence de la plus simple des façons ; une série de *ré*, répétitive, récurrente, récidivante. Puis le violon semble vouloir s'affranchir, par deux fois, de cette partition débilitante. Aussi tente-t-il de monter dans les aigus, les harmoniques, incapable pourtant de s'échapper par le haut. Ici le ciel n'est qu'un trompe-l'œil de plâtre et de stuc illuminé par des projecteurs électriques. Alors violon et violoniste redescendent dans l'arène. Il n'y a pas d'autre choix. Ces murs épais qui les oppressent, chargés de

214

dorures, ils vont les pilonner à coups de poing, à coups d'archet rageurs, jusqu'à les faire céder, et tant pis si l'instrument finit par rompre le premier, tant pis si le sang finit par couler. Le rythme s'accélère. Doubles cordes incessantes. La main du soliste se contorsionne sur le manche. Les positions sont impossibles. Pourquoi infliger pareille torture à ses doigts ? Il transpire à grosses gouttes sous le regard de Claessens. David s'enfonce en lui-même, en son monde, en sa solitude, voyage au centre de la terre, noyau de sa mémoire, à travers boyaux, terriers et corridors, à la recherche d'une porte de sortie, d'un rayon de lumière. C'est toute sa vie qu'il nous balance dans cette *Cadence*. Le violon d'Odessa n'est plus qu'un instrument excavateur. Au sortir de ce mouvement, David sera un homme, non plus seulement un fils, ou bien ne sera plus.

Lui se moque bien de tout cela. C'est sa musique qui l'intéresse, et c'est le plus fascinant. Le monde n'est plus que notes, une partition rédigée dans le plus grand secret par un fol-en-Christ russe. Et l'instrument qui vibre à se rompre, assumant ses dissonances, nous hurle à tous le même message : il n'y a qu'une seule façon de jouer ce concerto, c'est celle de l'instant présent, celle de David Claessens ; les autres avaient tout faux ; rien n'existait avant Bruxelles ; après ce soir, plus rien ne sera pareil.

À quelques secondes de la fin de la *Cadence*, Claessens saisit sa baguette et recommence à battre la mesure. Près de cinq minutes. La lutte du fils, seul face à lui-même, a duré près de cinq minutes. Maintenant les musiciens se préparent. Au premier signe du frac noir, ils se lanceront comme des possédés

215

dans la danse, avec cette énergie vitale communiquée par ce garçon dressé au centre de l'arène.

Entre le moment où le soliste achève sa *Cadence* et celui où il reprend son dialogue avec l'orchestre, il se passe une vingtaine de secondes tout au plus, courte respiration où la meute se déchaîne, où le soliste reprend son souffle ; ces précieuses secondes, David Oïstrakh les avait implorées au compositeur au moment de la création du concerto en 1955.

Voilà. Le jeune Claessens s'est tu. Le long tunnel de solitude s'est interrompu. Le timbalier, d'un coup de tonnerre, a déclenché l'orage sur ordre du chef. L'orchestre symphonique au grand complet se jette dans une brève cavalcade. Dès qu'il aura détendu sa main au bord de la crampe, David les rejoindra et tous, lancés à pleine vitesse, célébreront les retrouvailles du père et du fils. Ce *Burlesque* insensé scellera le triomphe de David sous les yeux de Claessens. Maintenant c'est une évidence, mon frère va gagner le Reine Élisabeth. Oubliés, Russes, Américains, Japonais, Israéliens. Oublié, le grand favori coréen ; tous ceux-là, aussi talentueux soient-ils, se contenteront des accessits.

Sur sa petite estrade, mon père s'agite comme un possédé. Je sens la jouissance dans son corps tout entier. Dans un instant, d'un bref regard sur sa gauche, il indiquera à son fils d'entrer dans la danse pour cette ultime ligne droite avant le premier prix du jury et, très probablement, le prix du public aussi.

Mais à la vingt-neuvième mesure, à l'instant prévu par la partition, le violon d'Odessa demeure silencieux. Mon frère a baissé son archet. L'orchestre poursuit quelques instants sur sa lancée puis se désagrège au fil des secondes. Claessens, soudain blanc comme un linge, stoppe la machine d'un signe, puis se tourne vers le fils impassible, statuesque ; son regard s'est perdu au-delà du public, au-delà de sa sœur et de son vieux professeur. Il se tourne vers son père, le dévisage comme s'il était un parfait étranger. Un bref salut dans un silence de mort. David sort de scène, son violon sous le bras, laissant le concerto inachevé. Claessens regarde s'éloigner son fils vers les coulisses. À ma droite, Krikorian a retiré ses lunettes. Son monde, à lui aussi, vient de sombrer dans le brouillard.

Bientôt le brouhaha naissant ramène Claessens à ses responsabilités. Déchu de son podium, contraint de faire face à la salle, il tente d'expliquer l'inexplicable, dans un balbutiement aussitôt recouvert par les murmures, tantôt d'incompréhension, tantôt scandalisés. Je vois au mouvement de ses lèvres que rien ne sort de sa bouche, pas un mot, pas un son, pas même une note, juste un souffle de vie qui s'enfuit hors de lui. Ses mains tremblent. Il ne songe pas même à les cacher. Il semble avoir égaré sa baguette, la cherche un instant du regard, tantôt sur son pupitre, tantôt par terre.

Je ne peux me détacher de ces mains que je connais si bien. Les mains de mon père. Leur tremblement me renvoie bien des années en arrière. Soudain je me souviens. Soudain tout est clair. Je suis sous le piano. J'ai trois ans. Depuis des mois les plus grands médecins, les spécialistes du monde entier s'échinent à comprendre d'où lui viennent ces douleurs articulaires. S'il continue ainsi, le pianiste qu'il est devra probablement mettre un terme à sa carrière. J'ai trois ans. Je suis sous le piano. Comme

217

tous les jours que Dieu fait, j'écoute mon père souffrir à chaque note, à chaque accord ; ses mains sont en train de se gripper. J'ai trois ans, je suis sous le piano. Claessens s'est arrêté de jouer. Le temps passe. Silence. Immobilité. Puis ses chaussures vernies abandonnent les pédales dorées. À quatre pattes, je me rapproche. Je peux sentir l'odeur de cirage sur ses souliers. Je retiens mon souffle. Mon père ignore tout de ma présence entre ses pieds. Depuis tout ce temps qu'il est à son clavier il m'a probablement oubliée. J'ai trois ans. Je suis sous le Steinway du salon, dans l'appartement de la rue Murillo, à Paris. Mon père referme lentement le couvercle du clavier sur ses doigts. Et il appuie. De plus en plus fort. Puisque je vous dis que je le vois faire. La main droite d'abord. Puis la gauche, soumise au même martyre. J'ai trois ans. Je suis sous le Steinway transformé en instrument de torture par son propriétaire. Le clavier s'ouvre et se ferme. Encore, et encore, et encore. Dans le silence le plus complet. Pas un soupir, pas un cri de douleur. Simplement le bruit sourd du couvercle broyant ses doigts, ses jointures, ses poignets suppliciés. Des gouttes tombent sur le tapis, entre les souliers vernis, sans que je sache s'il s'agit de mes larmes ou de celles de mon père en train de saborder sa carrière.

Burlesque

*Quand je tire l'épée contre lui, que croyez-
vous que je veux ? L'abattre dans la poussière ? Dieux éternels, je n'ai qu'un désir,
vous le savez bien, c'est de l'attirer sur mon
cœur.*

Heinrich von Kleist, *Penthésilée*

Le téléphone me réveille. Il est onze heures du matin passées. C'est le centre de soins palliatifs. Dans la nuit, l'état de Claessens s'est brusquement dégradé. À mots couverts, ils sont en train de me dire qu'il n'en a plus que pour quelques heures. Je suis encore rue François-Le-Fort. J'ai dormi dans le lit de David. Enfin, dormi, c'est beaucoup dire. Impossible de fermer l'œil avant quatre heures, alors, quand le réveil a sonné, je n'ai pas eu la force de me lever. *J'arrive tout de suite. Je serai chez vous dans une demi-heure...* À l'autre bout du fil, l'infirmière se veut rassurante, *Pas d'imprudence sur la route, mademoiselle Claessens. De toute façon votre frère est déjà là... Pardonnez-moi, madame, j'ai dû mal vous entendre. Vous dites que qui est là ?... Mais votre frère, David. Il est dans la chambre de votre père. En ce moment il lui fait prendre quelques gorgées de thé et une cuillère de confiture.*

*
*   *

Après Bruxelles, tu as littéralement disparu de la circulation. Tu as quitté la scène dans un silence de

221

cathédrale ; un régisseur t'a vu traverser les coulisses, ranger le violon d'Odessa, puis tu t'es volatilisé sans un mot tandis que la rumeur du scandale gonflait dans la salle.

Bien entendu, le jury t'a classé bon dernier de la finale. Tu as remporté, contre toute attente, le prix du public, malgré ton concerto inachevé. Il ne t'avait fallu que trois mouvements sur quatre pour conquérir les cœurs.

Je t'ai cherché partout, tu sais. J'ai été bien seule à le faire. Claessens préférait t'ignorer, du moins en apparence, *Ton frère finira bien par revenir quand il sera calmé.* Tu venais, par ton brusque silence, par ton renoncement soudain, de pousser ton propre père sur une pente fatale qu'il mettrait des années à dévaler.

Pendant presque deux ans, j'ai attendu un signe de toi. Je ne sais pas, un coup de fil, une carte postale, un morceau de partition griffonné à la hâte... Je t'ai cherché partout, je te dis. Au marché de la Riponne où tu avais coutume de jouer, au conservatoire de Lausanne où Krikorian, pas plus qu'un autre, n'avait reçu de tes nouvelles ; tu avais quitté ta chambre sur les hauteurs de la ville, en face de l'hôpital. Je t'ai cherché dans les squats de Genève, j'ai joint des gens en France ; je suis même retournée à la Chapelle musicale de Waterloo. Mais tu n'étais nulle part. Alors j'ai compris que ton silence me visait moi aussi. J'ai essayé, d'abord sans grand succès, de reprendre le cours de ma vie. J'y suis finalement parvenue grâce au travail, grâce au piano. J'ai bûché comme une sourde, tu sais, jusqu'à quinze heures par jour, pour moins sentir le manque.

Et puis, un matin, il y a eu cet appel de la police

cantonale valaisanne. On t'avait trouvé au beau milieu de la nuit, dans un état de grande excitation, devant une pharmacie de Sion, la main gauche coincée dans un distributeur de préservatifs. Tu n'avais pas tes papiers d'identité. Au poste, on t'avait placé en cellule de dégrisement bien qu'il n'y eût aucune trace d'alcool ou de drogue dans ton sang. À l'aube, tu avais fini par donner ton nom et mon numéro à l'officier de service.

Je venais d'avoir dix-huit ans. J'ai pris le train pour Sion.

Là-bas on t'a fait la leçon : la prochaine fois tu passerais devant le juge de commune. Tu avais réveillé tout le centre-ville sur les coups de trois heures du matin. On ne plaisante pas avec le sommeil des bonnes gens.

Nous nous sommes retrouvés devant les locaux de la police cantonale, place de la Gare. Tu avais maigri. Tu portais toujours les mêmes habits. Tu avais laissé pousser tes cheveux aussi. Ta barbe, elle, était restée insignifiante, adolescente. *C'est ici que tu vis, alors ? À Sion ?... Dans les hauteurs, oui... Dans les hauteurs, évidemment. C'est loin d'ici ?... À pied, une grosse heure. Mais c'est tout en montée, par des petits chemins, tu n'auras pas les bonnes chaussures... Tu n'as pas de voiture ?... Une voiture ? Pour quoi faire ? Tu es pressée ?*

J'avais de l'argent sur moi ; toi pas ; j'ai payé le taxi depuis la gare. Tu as regardé le paysage défiler par la vitre durant tout le trajet. Impossible de capter ton regard ni d'échanger le moindre mot. Puis tu as demandé au chauffeur de s'arrêter dans le virage en épingle à cheveux, au niveau du sentier de randonnée.

Nous sommes passés devant l'abreuvoir puis nous avons remonté le chemin jusqu'au bunker. Tu venais de finir de le restaurer, prenant bien soin de ne pas toucher à la fausse façade de chalet alpestre. La peinture en était restée écaillée ; volets et fenêtres factices portaient les traces des passages successifs de l'hiver. Tout avait été fait pour ne pas attirer l'attention. Un blockhaus démilitarisé, comme il y en a partout en Suisse, abandonné au temps et à la ruine. Voilà où tu t'étais terré.

Tu as déverrouillé la porte d'au moins soixante centimètres d'épaisseur. À l'intérieur, une fois tout refermé à double tour, il n'y avait plus le moindre bruit, ni celui du vent dans les arbres, ni celui du petit bisse coulant en contrebas, ni celui des oiseaux, et ce silence absolu, que l'on soit musicien ou non, était vertigineux.

Deux pièces aux allures de couloir. Dans la première, un évier en émail, un frigo minuscule, un réchaud à gaz, une casserole et une poêle à frire suspendues à un morceau de tuyauterie ; un peu de vaisselle, assiettes et tasses disparates ; une table, une chaise d'écolier rafistolée, visiblement récupérées à la déchetterie ou les soirs d'encombrants. Deux meurtrières fendant le mur, garnies d'étroites vitres de verre et d'un système d'entrouverture. L'une donne sur un pan de forêt, l'autre sur un rocher grisâtre dévoré par la mousse. Dans un coin, un poêle à bois d'occasion, sans doute ton principal investissement. Un fauteuil vieillot accompagné d'une lampe sur pied dotée d'un abat-jour orange. Un guéridon où trônent une tasse et une bouilloire. Des murs blancs, lisses, fraîchement repeints ou bien passés à la chaux, je ne sais plus. Une ampoule au plafond, nue.

Ta chambre, ou devrais-je dire ta cellule, je l'ai déjà décrite. Je ne veux plus la voir, même dans ma mémoire. Sur la table inondée de paperasse, la partition de l'*Opus 77* couverte de ton écriture en pattes de mouche. Au mur, le violon d'Odessa, pendu, raide mort.

Je m'assois sur le lit. Mon regard a vite fait le tour de ton univers. Tu me rejoins. Tu ne dis rien. Le matelas est très dur. Je sens l'odeur de ta sueur. Ici, dans la pièce du fond, le silence est encore plus présent. Il n'y a que le bruit de nos deux respirations. S'il me prenait l'envie de crier, personne ne m'entendrait à l'extérieur.

Tu te tournes vers moi et passes la main sur mes cheveux, coinces une mèche derrière mon oreille. Tu y passes et repasses tes doigts, ceux de la main gauche, et ta caresse provoque en moi une sorte d'engourdissement. Tu te mets à chantonner le concerto russe, doucement, premier mouvement, *Nocturne*, et mon instinct me dit qu'il faut tout de suite sortir d'ici.

Dehors l'air frais me gifle les joues ; je prends au plus court, dans le sens de la pente. Les routes et les chemins pour randonneurs peuvent aller se faire voir. Je passe l'abreuvoir, je passe le petit bisse, j'y mets le pied, maladroite que je suis. Une grosse heure en montée, a dit mon frère. Vingt minutes dans l'autre sens, à tout casser, en dévalant à toute vitesse. Je n'ai pas les bonnes chaussures, je n'ai jamais les bonnes chaussures. Mon pied gauche est trempé d'être allé dans le ruisseau. Je passe entre les branches, y accroche ma jupe, déchire mon collant. Mes bras sont tout griffés. J'arrive en bas, à Sion, avenue de la Gare, face au poste de police, hors d'haleine, le corps en feu, écorchée jusqu'au sang.

*
* *

L'infirmière n'avait pas menti (pourquoi l'aurait-elle fait ?), tu étais là, dans la chambre de Claessens, assis au bord du lit ; dans tes mains une petite cuillère et une barquette de confiture.

Entre les Tranchées et la clinique j'avais brûlé la plupart des feux, tenté des dépassements pour le moins audacieux. Les piétons se retournaient sur les trottoirs, serraient les murs en entendant rugir mon moteur. Les automobilistes me faisaient des appels de phare. Je ne pouvais pas m'en empêcher, il fallait conduire vite, plus vite, j'avais hâte d'arriver.

Il n'arrive plus à avaler, déjà depuis plusieurs jours ; ça ne sert à rien, la confiture... Tu as trempé la cuillère dans la barquette en plastique et tu l'as portée à la bouche de Claessens, tout près, tout près, jusqu'à ce que ses lèvres blanches s'entrouvrent avec lenteur. *Tu vois bien qu'il y arrive, petite sœur. Il faut faire doucement, c'est tout.*

Dans la voiture, j'imaginais déjà la gifle que tu prendrais, une gifle à t'en faire rougir la joue, à te faire tomber à mes genoux, une gifle dont la cuisante brûlure te resterait jusqu'à la fin de tes jours comme marque indélébile de ma colère. Toi, l'absent. Le petit saint, l'ermite de Sion dont la pureté et l'intransigeance n'avaient jamais fait que souiller les autres. Toi qui t'étais désintéressé de l'agonie de ton père.

Tu lui as donné sa confiture et aussitôt après tu as sorti mon mot griffonné à la hâte, ce morceau de programme d'un concert à Salzbourg que j'avais

226

coincé dans le volet de ton blockhaus. Entre tes doigts, il y avait aussi l'épingle à cheveux, celle que j'avais utilisée pour empêcher la feuille de s'envoler. *Regarde, petite sœur, regarde. Sur ton épingle il restait l'un de tes cheveux.* Alors j'ai couru vers toi et tu m'as prise dans tes bras. J'y suis restée longtemps, sous le regard absent de Claessens, j'y suis restée le temps qu'il fallait pour me souvenir de ton odeur et reprendre la mesure de ton corps. J'ai mis mon nez au creux de ton cou et je t'ai respiré fort. Et quand je m'en suis écartée, j'ai remarqué la marque rouge, au-dessus de la clavicule gauche ; j'ai vu la marque rouge et j'ai compris qu'après toutes ces années d'abstinence tu avais décroché le violon d'Odessa du mur de ton bunker.

Le médecin est venu. C'était la fin. Claessens ne passerait pas la nuit. Il ne semblait pas souffrir. Déjà sa tête était ailleurs. Depuis la veille, ses traits s'étaient encore creusés. Ses mains, qui pendant si longtemps avaient battu l'air avec une grâce insensée, reposaient désormais sur le drap, inertes, veinées, violacées, décharnées à faire peur. Juste au-dessus, une perfusion de morphine, maintenue dans l'avant-bras par un adhésif transparent, l'accompagnerait jusqu'au seuil noir de la mort.

Nous nous sommes assis de part et d'autre du lit. Claessens était encore conscient, du moins par intermittence, mais il était impossible de savoir s'il nous reconnaissait. Parfois je parvenais à accrocher son regard. Que se passait-il à l'intérieur ? Depuis une bonne semaine il avait totalement cessé de parler. Depuis trois jours il ne s'alimentait plus. Depuis cette nuit, il respirait avec difficulté. Ses poumons s'étaient remplis d'eau. La maladie était partout en

227

lui. Il ne sortait plus de sa gorge qu'un sifflement mouillé. Avait-il seulement, ne serait-ce qu'une seconde, réalisé que son fils, après onze ans d'absence, était revenu le voir ?

L'attente a commencé, silencieuse, marquée par le passage des heures, des infirmières, et par le souffle de plus en plus contrarié du père. Parfois j'allais faire quelques pas dans le couloir. Par les portes entrebâillées m'apparaissaient une main, un pied, un morceau de chemise de nuit, un pantalon de pyjama, une pantoufle à carreaux, appartenant à d'autres mourants, jeunes ou vieux, plombier, secrétaire, chauffeur de car, publicitaire. Il n'était plus question d'argent, de célébrité ou de carrière. Face à la mort, ils s'avançaient, chacun à sa manière, plus ou moins sereins, plus ou moins angoissés, leur famille à leurs côtés, et tous, invariablement, seuls.

De retour dans la chambre, ni mon père ni mon frère n'avaient bougé. David serrait mon épingle dans son poing. Je me demandais s'il avait dit vrai, si j'y avais laissé l'un de mes fils cuivrés, et s'il s'y était véritablement accroché pour retrouver le chemin de la vallée, le chemin de la vie. Car c'était bien l'enjeu de cette dernière nuit : il y avait la mort de mon père, il y avait le retour de mon frère, et moi au milieu, à leur tenir la main, à me demander quand l'un partirait et si l'autre resterait.

Un peu avant minuit, Claessens commence à s'agiter. J'appelle l'infirmière qui lui renouvelle sa morphine. Dans les minutes qui suivent, mon père paraît reprendre conscience, son regard erre autour de la chambre, les murs jaune pâle, la fenêtre coulissante, la table sur roulettes, le néon au plafond, et ce garçon aux cheveux noirs et longs assis au bout du lit.

Alors David se lève, entrouvre le placard, en tire l'étui verni qu'il a dû y déposer avant mon arrivée. Il sort l'archet, en retend la mèche, puis le violon d'Odessa, sur lequel il monte l'épaulière noire. *Sol, ré, la, mi.* Corde à corde il s'accorde, affine le réglage des chevilles au bout du manche. De la dissonance à l'harmonie, c'est ce qui attire l'attention de Claessens, lui fait rouvrir les yeux, tenter de se redresser sur son lit. Je lui relève ses oreillers et m'assois près de lui. Sa main est molle et froide. Elle est si petite. Est-ce bien cette main qui a commandé aux plus grands orchestres, aux plus grands solistes, aux plus grandes cantatrices ? Est-ce bien cette main qui a décidé du destin d'une femme et de ses deux enfants, il y a si longtemps ?

David est immobile, debout, son instrument calé au creux du cou, dont le frottement attise la marque rouge aux faux airs de suçon. Il fixe son père, dans l'attente d'un signe. Soudain la main de Claessens se raffermit. Son œil revient à la vie. Ses poumons à l'agonie s'emplissent d'air. Et d'entre ses lèvres fuse la panoplie d'onomatopées dont usent les chefs du monde entier lorsqu'il s'agit de déchiffrer une partition, *pompom pompom, damdam damdam, tagada-gadagada...* Vingt-huit mesures *allegro con brio* d'interjections diverses et variées avant que David le rejoigne au son du violon *staccato*. Je reconnais le quatrième mouvement du concerto russe, *Burlesque*, resté en suspens depuis Bruxelles. C'est comme si Claessens recouvrait miraculeusement la mémoire. Lui qui s'était toujours passé de partition, qui connaissait ses opéras, ses concertos par cœur, lui qui depuis plusieurs semaines ne reconnaît plus les rues de sa propre ville, ne sait plus où il habite, lui qui depuis plusieurs jours a oublié sa propre langue, qui depuis quelques heures semble ne pas reconnaître son fils ; le voici de retour, le directeur de l'OSR. Son tempo est juste et régulier ; à lui seul il remplace un orchestre symphonique tout entier à coups de *pompompom* et de *tagadagadagada...* Lequel est le plus fou ? Lequel flirte le plus avec l'abîme ? C'est à se croire dans un asile d'aliénés, d'autant que David joue terriblement faux. Les années de silence ont rouillé sa main gauche. Les partitions palimpsestes empilées sur la table du bunker, couvertes et recouvertes d'invectives illisibles et ressassées, n'ont rien changé à l'affaire ; quand bien même il n'aurait cessé d'écrire, mon frère a perdu l'essentiel de son art en même temps que la raison. Il n'est plus au diapason de rien, si ce n'est de ce presque cadavre en pyjama qui s'agite sous les draps. Mais ici, dans cette chambre d'hôpital, Claessens et son fils s'en moquent bien ; qu'importe la justesse, qu'importe les fausses notes et les coups d'archet de travers. Le fils rejoint enfin son père ; le père rejoint enfin son fils dans cette infâme bouillie d'*Opus 77*, tous deux *iourodivy* russes, possédés, délirants, communiant l'un avec l'autre au fil de ce concert dément. Ensemble ils ont atteint le « galimatias musical » que dénonçait Staline dans la *Pravda*.

On frappe. C'est l'infirmière de nuit, furibarde, *Qu'est-ce qui se passe là-dedans ? Qu'est-ce que c'est que ce bazar, les Claessens ? Non mais vous êtes malades ?... Laissez-les faire, laissez-les finir, je vous en supplie, madame l'infirmière, ils n'en ont plus que pour quelques instants, après il sera trop tard,* pom-pompompom, *le quatrième mouvement est le plus court de tous, quatre minutes trente à tout casser, qu'il faut jouer à toute berzingue, pied au plancher,* tagadagadagadagada, *c'est ainsi que l'a voulu Chos-takovitch, vous savez bien, le fol-en-Christ russe, alors laissez-les faire, madame l'infirmière, de toute manière ils sont en train de crever, tous, dans les chambres à côté,* damdamdamdamdamdam, *alors un peu moins, un peu plus ; sortez, fichez-leur la paix ; mon frère et mon père, depuis onze ans qu'ils attendent ce moment, l'éternel rendez-vous manqué, et peut-être même depuis toute une vie ; puisque je vous dis que dans une minute il sera trop tard pour rattraper le temps perdu. Alors foutez-moi le camp, madame l'in-firmière. Dehors ! Dehors ! Dehors ! Dehors !...*

Toute sa vie, mon frère a attendu devant la porte du Palais. Et pendant des années mon père est resté posté là. Deux chiens de faïence à l'épreuve des saisons, du froid de l'hiver et des orages d'été. Per-sonne d'autre n'y a jamais frappé. Cette porte-là leur était réservée. C'était le seul accès possible pour le Fils, le seul accès sur lequel le Père ait jamais veillé. Parce qu'il savait qu'un jour le Fils s'y présenterait.

Ils n'en ont plus que pour quelques mesures. Je reprends la main de Claessens qui déjà s'affaiblit. Il parvient pourtant jusqu'à la note finale – *tagada pompom !* – de ce *Burlesque* délirant. Père et fils saluent – David avec cérémonie, Claessens à l'éco-nomie, avec les yeux – un public imaginaire, celui de Bruxelles peut-être, onze ans trop tard, à moins que les saluts s'adressent à moi, la fille, la sœur, qui n'ose pas applaudir.

À l'aube, mon père sera parti.

Mon frère aussi. Il sera retourné sur les hauteurs de Sion.

Sur les draps froissés, il aura laissé le violon d'Odessa.

Il ne me restera plus qu'une ou deux choses à faire.

*
* *

Un lundi sur deux, où que j'aie été la veille, où qu'il me faille jouer le lendemain, je traversais *le parc de quatre hectares meublé d'arbres centenaires et d'œuvres contemporaines sculptées par des artistes internationaux de premier plan* (vous voudrez bien m'excuser de reprendre les termes exacts de la brochure publicitaire, c'est plus simple pour moi, plus neutre à raconter, ainsi mes mains ne risquent pas de trembler). Je remontais la longue allée de gravier, passais le bassin aux poissons rouges, prenais le temps de fumer une dernière cigarette depuis *la terrasse offrant aux patients une vue imprenable et apaisante sur le Lavaux, les Alpes et le Léman.* J'entrais dans *la vaste bâtisse bourgeoise fin XIXᵉ*, je m'annonçais à l'accueil de la clinique. Une infirmière m'escortait jusqu'au troisième étage, chambre 304 ; pourtant Dieu sait si je connaissais le chemin par cœur. Là-bas les visiteurs ne peuvent circuler sans accompagnateur. La blouse blanche et moi empruntions *le grand escalier de marbre habillé d'une rampe Art déco.* L'infirmière profitait du trajet pour m'informer des dernières évolutions qui, en général, n'en étaient pas ; progrès et régressions s'annulaient ; le traitement continuait – électroconvulsivothérapie, balnéothérapie, art-thérapie (modelage, dessin, poterie – la musique sous toutes ses formes lui était formellement proscrite). Un lundi sur deux, je vous dis, même s'il me fallait pour cela rentrer tout spécialement de New York ou de Tokyo, je frappais à heure fixe à la porte en bois clair marquée de trois chiffres en cuivre – le 3, le 0, le 4.

Elle était invariablement assise sur son petit fauteuil crapaud, les yeux tournés vers le lac, froid, lisse, opaque, parcouru de reflets métalliques si bien qu'il avait l'air empli de mercure argenté. Je me posais sur le bord extrême du matelas, j'évitais de faire des plis sur le couvre-lit. Tout était si bien ordonné, épousseté, à sa place ; la chambre d'un fantôme, voilà ce qu'était la 304, un espace habité par les courants d'air et la silhouette d'une femme qui usait ses jours à regarder par la fenêtre.

Elle était devenue si menue. Un jour, pensais-je, un jour elle finirait par disparaître à force de se ratatiner. Le médecin ou l'aide-soignante entrerait dans sa chambre pour y trouver l'ordre et le vide les plus parfaits. Pas une ride sur le lit, pas une poussière sur la commode. On fouillerait la bâtisse XIXe et les quatre hectares du parc arboré, on fouillerait les abords du lac, on enverrait un bateau brasser l'eau, mais on ne la trouverait nulle part ; peut-être, à la rigueur, dans un éclair argenté, un froissement à la surface, amorcé par la brise. C'est à cela que se résumerait sa vie.

Je m'asseyais sur le bord extrême du lit et lui décrivais mes voyages, mes rencontres, mes concerts ; jamais mes peurs. Parfois je me disais qu'entendre parler de musique ne lui faisait pas que du bien, mais, comprenez-vous, je n'avais que cela à raconter. Je n'allais pas lui donner des nouvelles de Genève ou de Sion. Que me restait-il comme sujet de conversation, à part le temps qu'il fait ?

J'avais quinze ans au moment des premières hospitalisations. Les médecins n'avaient rien trouvé d'autre que de l'interner à Belle-Idée. Je me souviens très bien de cet endroit très lisse en banlieue de Genève. Là aussi, un joli parc arboré. Et puis, une fois dans les couloirs de l'hôpital, des gens qui hurlent leur solitude et leur douleur à longueur de journée.

Je me souviens des créneaux horaires réservés à la visite, aux familles. Je me souviens des autres enfants, des adolescents venus voir leur parent hospitalisé, cet air gêné, accablé, tandis que les visiteurs adultes, eux, tentaient sans succès de faire bonne mesure.

Je me souviens du regard paniqué de ma mère à sa première hospitalisation longue durée. Puis du calme soudain qui semblait l'habiter dès qu'un médecin pointait le bout de son nez, des ruses qu'elle inventait pour qu'ils la croient calmée, la laissent enfin sortir ; et puis, une fois dehors, agissant comme si elle n'avait eu qu'une seule envie : y retourner au plus vite.

C'est moi, du haut de mes quinze ou seize ans, qui me suis renseignée, qui suis allée visiter toutes les cliniques privées des cantons de Vaud et Genève où s'entassent les riches dépressifs, les fils schizo des milliardaires, les troubles de l'humeur et autres névroses sur lesquelles l'argent n'a pas de prise. J'ai même poussé jusqu'en Suisse alémanique, jusqu'à Thoune, jusqu'à Zurich, pendant que mon père et mon frère se jaugeaient du coin de l'œil et faisaient de la musique. Je voulais qu'elle ait un lac à regarder. À cet âge, on se fait une certaine idée de l'univers psychiatrique. On se laisse facilement impressionner par les visites à Belle-Idée.

Je n'ai jamais trop su si ses absences n'étaient qu'un rôle de plus, un rôle qu'elle jouait et dont j'aurais été la spectatrice privilégiée. Après tout, qu'est-ce qui me garantissait qu'elle passait réellement ses journées à regarder par la vitre ? Le silence, elle s'y était enfermée progressivement. Son chant, pour commencer, s'était éteint lorsque j'étais enfant. Puis tout le reste avait suivi au fil des ans et des hospitalisations, forcées ou volontaires. Sa voix s'était enfuie, ma mère s'était vidée de son sang. Qu'attendait-elle maintenant ? Que pouvait-elle guetter à la surface moirée du lac ? Parfois, j'avoue, j'essayais de me convaincre qu'elle faisait semblant. J'interrogeais, suspicieuse, les infirmières, les cuisinières à la cantine, les femmes de ménage. *Vraiment ? Mais elle ne parle plus du tout ? Vous ne tirez plus un seul mot d'elle ?* Les réponses variaient, selon l'interlocutrice, de *rarement* à *jamais*.

Parfois, au milieu de la nuit, elle se mettait à hurler. C'était ce qu'on pouvait me dire à coup sûr. Le seul son à sortir de sa bouche, en moyenne une nuit sur trois, c'était ce cri, une note suraiguë, peut-être un contre-*fa*, qui réveillait tout l'étage. Il fallait de longues minutes à l'infirmière de garde pour la calmer. Et sûrement quelques comprimés.

J'y suis retournée le lundi suivant. Je n'avais pas voulu la perturber inutilement, la régularité de mes visites, affirmait le médecin, atténuait ses angoisses. Je me suis assise au bord du lit, tâchant comme d'habitude de ne pas faire de plis. *Papa est mort, maman. Maman ? Papa est mort la semaine dernière.*

235

Elle a continué de regarder par la fenêtre comme si je n'avais rien dit, tassée sur son fauteuil crapaud. À mon tour, je me suis réfugiée dans le silence. Soudain je ne trouvais plus rien à dire. Mais après tout, que pouvait-on ajouter de plus ?

Je me suis approchée de la vitre, j'ai regardé à l'extérieur. Elle fixait quelque chose dans l'eau – je n'arrivais pas à voir quoi –, comme fascinée. J'étais à quelques centimètres d'elle. Je sentais la chaleur de son corps, l'odeur de son savon, celle des médicaments aussi, qu'exhalaient les pores de sa peau. J'ai caressé sa joue. J'ai caressé ses cheveux d'un roux passé. C'était la main d'une mère sur la tête de sa fille. Elle regardait toujours dehors. Son visage restait impassible. Ses yeux avaient la couleur du lac. Dehors il s'est mis à pleuvoir.

*

* *

David m'avait confié le violon d'Odessa en repartant pour Sion. Après la mort de Claessens, je l'ai gardé quelques jours à l'appartement des Tranchées. Le soir, j'en ouvrais l'étui fatigué, j'en caressais le bois verni, le manche, la touche ; je glissais un doigt dans les ouïes, essuyais la pellicule de poussière blanche laissée par la colophane sous le chevalet.

Hier, veille de l'enterrement, allez savoir pourquoi, comme si je n'avais rien eu de plus urgent à faire, j'ai pris le train pour Lausanne. À mi-parcours, j'ai réalisé que j'aurais plus vite fait d'y aller en voiture. Mes pas m'avaient conduite à la gare de Genève, j'y avais pris mon billet, j'étais montée dans un wagon de seconde classe – pourtant je ne voyage plus qu'en première –, exactement comme j'en avais pris l'habitude, adolescente, lorsque j'aidais mon frère à préparer le Reine Élisabeth ; à une différence près : cette fois je portais son violon à la main.

Au secrétariat du Conservatoire, j'ai demandé, sans grand espoir, si par hasard le vieux monsieur y enseignait toujours. S'il était encore vivant, il devait avoir plus de quatre-vingt-dix ans. La secrétaire a eu l'air de tomber de l'armoire. *Krikorian ? Professeur ? Ici ? Vous êtes sûre ?... Plutôt, oui. Vous travaillez ici depuis longtemps ?... Pas trop, pourquoi ?* Elle est allée chercher quelqu'un dans le couloir. Je me voyais déjà contacter les services funéraires de la Ville de Lausanne, consulter les nécrologies du journal local *24 Heures* sur des mois, des années en arrière. Mais je ne m'imaginais pas annoncer à David la disparition de son grand-père de cœur.

La fille est revenue accompagnée d'un type en blouse grise, aux cheveux dégarnis. C'était l'homme à tout faire, il était là depuis longtemps et connaissait tout le monde au Conservatoire. Il portait un trousseau de clés à la ceinture. J'ai pensé au vieil Arménien, la première fois. Vous vous rappelez ? *Krikorian ? Il passe de temps en temps pour dire bonjour. Mais il ne travaille plus ici... Depuis combien de temps ?... Ça doit faire un moment. Je dirais une bonne dizaine d'années.* Derrière son bureau, la secrétaire s'est brusquement redressée, *Oh, mais je vous présente toutes mes excuses, mademoiselle Claessens, je viens seulement de vous reconnaître. C'est votre violon qui m'a induite en erreur... Aucune importance. Vous n'auriez pas son téléphone, à M. Krikorian ?...* Elle a pianoté sur son clavier. *Aussi bizarre que ça puisse paraître, je n'ai aucune trace de lui dans mon ordinateur... Moi, ça ne m'étonne guère... Si vous voulez, je peux me renseigner quelque part... Merci, non, ça ne fait rien... J'en ai pour une seconde... Non, vraiment, ça ne fait rien.*

Dehors, j'ai allumé une cigarette. Le monsieur en blouse grise est venu me rejoindre et nous avons fumé ensemble, en silence. Il a écrasé sa cigarette sous sa semelle et levé le nez vers la toiture. *Si j'étais vous, j'irais voir là-haut.* Puis il a défait une clé de son trousseau et me l'a glissée dans la paume. *Vous me la rendrez en descendant.*

J'ai pris l'escalier sans repasser par le secrétariat. À mesure de mon ascension, j'avais la sensation de rajeunir ; à chaque étage, à chaque palier, quelques années en moins, et le fardeau sur mes épaules qui allait s'allégeant. *Aussi bizarre que ça puisse paraître*, je l'ai trouvé là-haut, dans la petite salle de répétition, assis sur sa chaise, comme s'il n'en avait guère bougé depuis dix ou onze ans. Bien entendu, la pièce baignait dans la fumée de ses Romiennes. C'était comme si mon frère allait entrer dans l'instant, accorder son instrument sur mon *la*, se mettre à jouer sous l'œil du professeur. J'ai bien failli m'installer au piano droit, comme dans le temps, avant Bruxelles. Cependant le silence dans la pièce était total et Krikorian avait terriblement vieilli. Son âge avait fini par le rattraper. Son instrument, sa source de jouvence, il l'avait confié à un jeune musicien qui s'était enfermé dans le mutisme et l'avait suspendu au mur d'un bunker.

En bas ils n'ont pas l'air de savoir que vous êtes ici... Je suis d'un naturel discret, Ariane, je l'ai toujours été. Et puis je prends toujours l'escalier de service, cela me fait de l'exercice. Ils n'ont jamais pensé à me réclamer mon jeu de clés, alors je viens de temps en temps faire un tour, parfois la nuit, parfois le jour, fumer quelques cigarettes, reconvoquer mes souvenirs... *Je suis venue vous rendre votre violon, monsieur Krikorian.*

J'ai posé l'étui sur la table. Il ne lui a pas accordé un regard. Avec le temps, ses lunettes s'étaient encore épaissies, de véritables culs de bouteille. Je le sentais lointain, à des années-lumière derrière sa vitre de verre. *Le violon ? Pour quoi faire ?... Il ne servira plus à mon frère. J'ai pensé que vous aimeriez le récupérer...* Alors seulement il a posé sa main sur l'étui, en caressant la surface de sa main parcheminée, et cette caresse semblait suffire à lui faire deviner les contours de l'instrument, couché à l'intérieur, à la manière d'un mort. *Je le lui avais donné, tu sais. Il l'aurait joué toute sa carrière. C'est un bon instrument, une copie de violon italien. C'est mon grand-père qui me l'avait offert. Il l'avait acheté à un juif d'Odessa... Je sais. Vous nous aviez raconté cette histoire, à David et à moi... Ah ? Je radote, alors ?...* Je lui ai adressé mon meilleur sourire pour mieux réaliser qu'il avait dû perdre le sien depuis longtemps ; un pli profond s'était creusé aux commissures et paraissait tirer son visage vers la tombe. *Ton frère ? Tu as de ses nouvelles ?... Il vit à Sion. Dans les hauteurs... Il ne joue plus, alors ?... Je ne crois pas, non, sauf à certaines occasions. La semaine dernière mon père est mort... Je sais. Je l'ai appris par les journaux... Demain matin je l'enterre.*

Il a ouvert la boîte en bois, se penchant au-dessus de l'instrument comme il l'aurait fait sur sa vie tout entière. *Il aurait gagné, tu sais. Il aurait gagné haut la main s'il ne s'était pas arrêté de jouer. Cette année-*

239

là c'était bien lui le meilleur... Il a fait un effort pour sourire sans réellement y parvenir, caressé l'un des deux archets, exploré d'un doigt le compartiment abritant les sourdines, les cordes de rechange et la résine de colophane. *Laissons-lui le temps d'y réfléchir. Je lui garde son violon en attendant. Tu lui diras tout de même qu'il n'a pas toute la vie devant lui. Je commence à me faire vieux.* Puis, soudain, sortant la main de l'étui : *Je crois que ton frère a laissé ça pour toi.* Entre ses doigts cartonneux, durcis par le frottement des cordes, jaunis par le tabac, il tenait une épingle à cheveux. Je m'en suis saisie et aussitôt il a refermé l'étui pour se lever. Il avait du mal à marcher. Sa silhouette s'était encore voûtée, ratatinée. *Sais-tu, Ariane ? Je crois que cette fois nous allons rejoindre le rez-de-chaussée par l'ascenseur...*

Il tenait à me raccompagner à la gare. Nous avons descendu la rue du Petit-Chêne à deux à l'heure. Il serrait le violon dans une main, de l'autre il agrippait mon bras.

J'avais toujours l'épingle à cheveux serrée dans mon poing.

Dans le hall, sous le panneau des départs, je me suis approchée et je l'ai enlacé. Son costume démodé flottait sur son squelette menu, sur ses muscles fondus. Il a saisi mon visage entre ses mains et je me suis rappelé la douceur avec laquelle il s'emparait de son instrument avant de jouer, le soin qu'il prenait à l'essuyer, comme un être vivant, comme un enfant. Sur mes joues glissait la caresse de chaque note égrenée par ses doigts en l'espace d'une vie. Je fixais ses yeux clairs et, dans les verres de ses lunettes, je me voyais aussi.

Ce soir-là, il les a tous battus à plate couture.

240

*L'*Opus 77. *Les notes, le jury, ça n'a pas d'importance. C'est lui, le vrai vainqueur... À Sion, vous savez, il vit dans un bunker. Enfermé. Il y passe ses journées à regarder le mur... Il en ressortira, crois-moi, jeune fille. Il en ressortira un jour. Alors il n'aura plus besoin de professeur.*

Je me suis éloignée en direction des quais. Il avait l'air d'un enfant perdu dans la foule, le visage dévoré par ses immenses lunettes, et l'instrument au bout de son bras semblait trop grand pour lui. Il m'a fallu hausser la voix pour dominer le brouhaha. *Monsieur Krikorian ? Le violon d'Odessa, ce n'est pas une copie, n'est-ce pas ? C'est un véritable Guarnerius, n'est-ce pas ?* Il a relevé la tête et un éclair de lumière est passé sur ses verres. L'espace d'un bref instant, le vieil homme a paru retrouver son sourire. *Je n'aurais jamais laissé ton frère livrer bataille sans un grand instrument.*

Je l'ai perdu dans le flot des voyageurs.

Alors seulement j'ai desserré le poing, parmi les gens pressés, et j'ai considéré la fine tige d'acier pliée en deux au fond de ma paume laiteuse. David avait dit vrai. L'un de mes fils cuivrés y était bien resté coincé. Et tout autour, entortillé avec le plus grand soin sur toute la longueur de l'épingle, formant une minuscule tresse rousse et noire harnachée à l'armature de fer, semblant défier à jamais le passage du temps, il y avait aussi un cheveu de mon frère.

D'ici quelques minutes, passé les hommages et les dernières prières, ils sortiront le cercueil de mon père. Ils le chargeront dans le corbillard. Nous prendrons les voitures jusqu'au cimetière. Là-bas, ils le mettront en terre. Finis les opéras, finis les concertos. À la fin c'est toujours le silence qui triomphe.

Sur les marches de l'église, il me faudra encore serrer des mains, embrasser des joues de musiciens. Miroslav sera là – je l'ai repéré tout à l'heure, au quatrième rang, dans son éternelle veste en tweed. Il s'approchera avec ses manières de labrador, usant de mille circonvolutions pour me demander si je compte assurer le concert de la semaine prochaine à Vienne, et surtout, en avril, la grosse tournée en Chine. Je lui dirai qu'il peut remettre le paquet, remplir le carnet de bal. Je lui dirai que je suis à nouveau cent pour cent opérationnelle. Le piano, c'est ma vie. Si je ne joue pas, je me désaccorde, je deviens cacophonie.

À la fin c'est toujours le silence qui triomphe, mais il nous reste à tous un ou deux airs en mémoire, qui perdurent, de génération en génération. Presser ces fichues touches blanches et noires, c'est le meilleur moyen que j'aie trouvé pour ne pas m'effondrer. Il n'y a que la musique pour faire face à la mort.

Tu ne tiendras pas longtemps dans ton blockhaus de Sion. On ne tient jamais longtemps dans le silence absolu. C'est une technique de torture des plus raffinées, tu sais, celle du casque assourdissant. C'est Krikorian qui me l'a raconté. Au bout de trois ou quatre jours, les hallucinations commencent. Puis les terreurs incontrôlées. Après une semaine, les troubles sensoriels peuvent être irréversibles, sauf pour celui qui joue Bach ou Mozart dans sa tête. Il suffit de connaître la partition par cœur.

Je te ramènerai à moi. Je le sais maintenant. Je te ramènerai à ton violon. Et tu verras, le son qui en sortira sera encore plus beau qu'avant. Tu reviendras dans la lumière et je pourrai assumer ma part d'ombre. Et nous repartirons pour un tour, le frère et la sœur, le violoniste et la pianiste. Nous rejouerons *Tzigane* de Ravel. Et à nouveau les gens crieront *Encore !* Nous serons, à nous deux, la voix de Dieu sur terre.

Il y a ce mot allemand, plus que la perfection, plus que la satiété, plus que la plénitude : *Vollkommenheit*, quand tout est achevé.

J'en ai maintenant fini avec l'*Opus 77*. Dans l'église, le silence est total. Je me tiens droite. Je vous regarde tous en face.

Demain je ferai accorder le piano des Tranchées. La semaine prochaine je jouerai à Vienne. Et puis je partirai faire cette tournée en Chine. Il n'y aura pas une seule fausse note.

Je suis le plus complexe, le plus indéchiffrable, le plus parfait automate jamais créé de main d'homme.

Je tiens à remercier Laure Favre-Kahn et Solenne Païdassi pour leur aide et leur confiance.

Anne, Chantal, Fred, Greg, premiers lecteurs depuis tant d'années, merci à vous aussi.

A. R.

La littérature française
aux Éditions Viviane Hamy

Céline Lapertot
Tout ce qui est monstrueux est normal
Des femmes qui dansent sous les bombes
Ne préfère pas le sang à l'eau
Je traverse les lieux

Estelle Monbrun
Meurtre chez tante Léonie
Meurtre à Petite-Plaisance
Meurtre chez Colette (avec Anaïs Coste)
Meurtre à Isla Negra

sous le nom d'Élyane Dezon-Jones
Le Fantôme du petit Marcel (avec Stéphane Heuet)
Yourcenar sans masque (HC - avec Michèle Sarde)

Hoai Huong Nguyen
L'Ombre douce
Sous le ciel qui brûle
Le Cri de l'aurore

François Pieretti
Saltimbanques

François Vallejo
Vacarme dans la salle de bal
Pirouettes dans les ténèbres
Madame Angeloso
Groom
Le Voyage des grands hommes

Pour découvrir l'intégralité de notre catalogue :
www.viviane-hamy.fr

Suivez-nous :
www.facebook.com/EditionsVivianeHamy

@VivianeHamy

editionsvivianehamy

Puisque la lecture d'un grand livre est un dialogue
– comme l'a si bien écrit Léon Werth –,
nous vous invitons à le poursuivre
avec un autre titre de notre catalogue :

CHARLES BARBARA

*E*SQUISSE

DE LA VIE

D'UN

VIRTUOSE

RÉCITS

PRÉSENTATION DE NORI KAMEYA

Viviane Hamy

CET OUVRAGE
A ÉTÉ COMPOSÉ PAR LE VENT SE LÈVE...
ET ACHEVÉ D'IMPRIMER
PAR L'IMPRIMERIE FLOCH
À MAYENNE EN AOÛT 2019

N° d'éd. 315. N° d'impr. 94446
D.L. août 2019
(Imprimé en France)